D1642647

DU MÊME AUTEUR

Aux Éditions du Seuil

LA NUIT DU DÉCRET, 1981. Prix Renaudot, 1981. *Collection « Points Roman »* n° 88.

GÉRARDO LAÏN. *Collection « Points Roman », n° 82.*

LA GLOIRE DE DINA, 1984. *Collection « Points Roman », n° 223.*

LA GUITARE. *Collection « Points Roman », n° 168.*

LE VENT DE LA NUIT, 1973. Prix des Libraires et prix des Deux-Magots. *Collection « Points Roman », n° 184.*

LE COLLEUR D'AFFICHES. *Collection « Points Roman », n° 200.*

LE MANÈGE ESPAGNOL. *Collection « Points Roman », n° 303.*

LE DÉMON DE L'OUBLI, 1987. *Collection « Points Roman », n° 337.*

TARA. *Collection « Points Roman », n° 405.*

ANDALOUSIE. *Collection « Points Planète », 1991.*

LES CYPRÈS MEURENT EN ITALIE. *Collection « Points Roman », n° 472.*

LE SILENCE DES PIERRES. Prix Chateaubriand 1975. *Collection « Points Roman », n° 552.*

UNE FEMME EN SOI, 1991. Prix du Levant. *Collection « Points Roman », n° 609.*

LE CRIME DES PÈRES, 1993. Grand Prix RTL-Lire.

Aux Éditions René Julliard

TANGUY, 1957 (épuisé.)

Au Mercure de France

MORT D'UN POÈTE, 1989. Prix de la R.T.L.B. *Folio, n° 2265.*

RUE DES ARCHIVES

MICHEL DEL CASTILLO

RUE
DES ARCHIVES

roman

GALLIMARD

Pour Jean-Marc,
avec affection.

PREMIÈRE PARTIE

On vit dans le souvenir et par le souvenir, et
notre vie spirituelle n'est, dans le fond, que
l'effort de notre souvenir pour persévérer, pour
devenir espérance, l'effort de notre passé pour
devenir futur.

MIGUEL DE UNAMUNO
Le sentiment tragique de la vie

I

Depuis des années, j'enterrais ma mère. J'imaginais chaque détail de son agonie. Je tentais d'apprivoiser sa mort de même que j'avais, dans mon enfance, tenté d'apprivoiser son personnage.

En tuant ma mère, c'est en réalité ma honte que j'aurais voulu supprimer. Non pas la honte *de* mais la honte tout court. J'ai la honte, comme d'autres ont la gale.

Quand la mort a fini par frapper, j'ai aussitôt ressenti cette démangeaison.

Rien ne s'est passé ainsi que je l'avais imaginé. Le décalage ne provient pas de l'écart entre fiction et réalité. Il résulte de mon infidélité à la seule réalité qui vaille, celle du langage. Je m'étais raconté des histoires pour échapper à mon histoire. Naturellement, la vérité du texte a fini par me rattraper.

Le téléphone sonnera, me racontais-je. D'une voix bouleversée, Félix balbutiera que ma mère, gravement malade, a été transportée à l'hôpital. Monterai-je à Paris ? Me rendrai-je à son chevet ? Mon esprit cherchait des prétextes et des esquives. Mon double avait déjà répondu pour moi.

Il y aura l'agonie. Je resterai devant la malade tel que je le suis depuis que je l'ai retrouvée, en 1955, muet et comme pétrifié. De mes yeux vides qui ne manquent pas un détail, je

13

fixerai son visage. Je me tiendrai assis au bord d'une chaise, tel un visiteur importun.

Le téléphone n'a pas sonné, pour la bonne raison que le second poste, à l'étage, était resté décroché depuis la veille au soir. Les appels de Félix ont retenti dans le vide. Je devine son désarroi devant ces stridences, qui sont la musique de l'absence.

Je buvais le café dans l'étroite cuisine, devant la terrasse mouillée de pluie. Une bruine d'hiver plutôt. Un suintement de l'atmosphère gorgée de brumes. Dans la Cévenne, où je demeure, le froid se dissout avant de s'installer. De ma place, toujours la même, sous la photo de ma chow-chow, Maï-Li, j'observais le tilleul, devant la maison. Sans feuilles, ses branches prennent une teinte violacée, vaguement rosâtre. Je discutais avec Cristobal, assis à l'autre bout de la petite table, avec sa toile cirée verte. Groseille, la vieille chatte tigrée, tournait-elle autour de l'évier ? Sommeillait-elle sur l'étagère, près des sécateurs ?

Il était midi passé, ce 6 décembre 199... Toute la matinée, j'étais resté assis à mon bureau, au bout de la longue bâtisse, sous les arcades. Je traînais dans une vieille robe de chambre, mécontent de moi. Sous un ciel de plomb, dans une lumière déliquescente, la grande maison m'apparaissait comme un piège où je me débattais en vain. Je me sentais environné d'ombres et, si je tournais la tête, je voyais, derrière les vitres embuées, le parterre où reposaient ma chienne et son vieux compagnon, Filou. L'un après l'autre, tous les témoins de ma jeunesse s'évanouissaient. Je restais de plus en plus seul, sans aucun rempart derrière lequel m'abriter. L'heure de la relève avait sonné, j'allais devoir monter en première ligne.

C'est alors que Jacqueline arriva, abritée sous un para-

14

pluie et tout essoufflée de sa course. Elle parla d'une voix timide, craignant peut-être de m'assener un coup trop brutal.

Ma mère était morte la veille.

Une certaine Marie-Louise Bouguet avait en vain tenté de me joindre au téléphone. En désespoir de cause, elle avait appelé mon éditeur, qui lui-même avait téléphoné à Rémy, lequel...

J'étais debout, j'allais me servir un énième café. Cristobal eut un élan pour me serrer contre lui. J'écartai son geste comme j'écarte toute manifestation de tendresse. Je regrettai aussitôt mon recul. J'ai perdu l'habitude des effusions.

Sur le même ton d'indifférence affectée, j'expliquai à Jacqueline que cet événement ne me touchait pas. Me crut-elle ? J'en doute. Savais-je d'ailleurs moi-même ce que je ressentais ? Je me rabattis sur le téléphone, feignis de me demander comment il avait pu rester décroché. Nos vies s'encombrent de pannes qui en cachent d'autres, plus secrètes.

Je finis par rappeler cette Marie-Louise qui, je le savais, était la fille de Félix, issue d'un premier mariage. Haute et sonore, la voix trahissait un caractère énergique. Tout en me parlant — le décès de ma mère avait eu lieu la veille, à son domicile, après quatre ans d'une paralysie qui l'avait maintenue clouée dans son fauteuil... — et en me fournissant des précisions sur les circonstances de cette mort, mon interlocutrice discutait avec les employés des pompes funèbres. Je l'entendis crier à son père : « *Arrête ces marchandages ! C'est bien assez sordide comme ça !* », pour reprendre aussitôt son récit, d'un ton de colère et de révolte.

Crasse, puanteur, vermine, cafards : chaque mot me frappait comme une gifle. Je compris alors que le dénouement ressemblait au commencement.

L'histoire pouvait-elle avoir une autre fin ? Je retrouvai ma honte. N'est-ce pas cette horreur que je fouillais depuis des années ? Aurais-je suivi le fil de mon récit, sans dévier de sa ligne, j'aurais connu chaque détail de cette fin sordide, inscrite en filigrane dans tous mes livres. Il n'existe, pour l'écrivain, qu'une réalité, qui est la fidélité à soi-même. Or cette agonie dégradante se tenait blottie entre les lignes, dans les pauses entre les phrases, dans les blancs qui séparent les paragraphes. La langue s'incarnait, mais ne l'avait-elle pas toujours été ? En moi d'abord, puisque cette saleté m'habitait, qu'elle transpirait derrière tout ce que j'écrivais.

II

Dans le T.G.V. filant vers Paris, le narrateur observait son double, l'enfant. La tempe contre la vitre, il fixait le paysage de ce même regard d'absence qu'il promenait sur toutes choses. Ce qui, pour la majorité, constituait la réalité n'était pour lui qu'une scène onirique où de bizarres personnages évoluaient, échangeant des répliques incompréhensibles. Il suivait l'intrigue, il comprenait l'action, mais le sens de ces agitations lui échappait. Ses yeux semblaient demander aux acteurs de cette mascarade : Que me voulez-vous ? Comment dois-je me comporter pour que vous me laissiez, enfin, tranquille ?

L'événement l'avait pris au dépourvu. Il savait, bien sûr, qu'elle finirait par mourir. Il le savait, mais il ne le croyait pas. Il la ressentait comme indestructible, une puissance de haine qui jamais ne le lâcherait. Il admettait qu'elle dût disparaître avant lui. C'était dans l'ordre des choses. Mais appartenait-elle vraiment à l'humanité ordinaire ? Vers l'âge de cinq ou six ans, il la confondait avec la Reine de *Blanche-Neige,* plantée devant son miroir. Il la soupçonnait de se métamorphoser chaque nuit en une vieille et affreuse sorcière. À cette époque, il refusait de s'alimenter et peut-être était-ce par peur du poison dissimulé dans la nourriture.

L'enfant n'avait pas non plus éprouvé de tristesse. Son

premier mouvement avait même été de soulagement. Pendant un temps, il s'était persuadé qu'il s'en irait le premier. Une sourde panique s'emparait de lui à la pensée qu'elle allait débarquer dans sa maison, déranger ses livres, contempler ses photos, déployer son deuil tapageur, circuler d'une pièce à l'autre, répandre partout son agitation bruyante. Il la voyait dans le rôle de la mère éplorée, sa figure baignée de larmes plus vraies que nature. Il se la représentait assise à son bureau, rédigeant de sa grande écriture d'élève des bonnes sœurs d'interminables lettres. Elle décrochait le téléphone, courait chez le notaire, alignait des chiffres, faisait et refaisait des comptes avec cette cupidité qui lui était venue avec l'âge.

La panique le submergeait. Il envisageait de s'enfuir avec ses bêtes, de dénicher un refuge où elle ne pourrait pas l'atteindre. L'ironie de son double, qui se moquait de ses peurs, lui arrachait un sourire timide. Mais il se rappelait l'incident survenu cinq ans auparavant...

Cette fois-là aussi, le téléphone avait sonné. Il reconnut la voix, qui tremblait d'excitation : quelqu'un lui avait dit avoir entendu à la radio l'annonce de sa mort. Elle appelait pour s'assurer qu'il n'en était rien et qu'il se portait bien. En une autre circonstance, il se serait amusé de la méprise comme il riait de toute énormité macabre. Mais il y avait le frémissement nerveux du ton, sa jubilation fiévreuse. Derrière ses propos, une joie mauvaise s'exhalait. Il sut que, non seulement elle songeait à l'éventualité de sa mort, mais qu'elle l'espérait et la désirait. Plus tard, elle lui écrira : « *Je reconnais que la plaisanterie n'était pas du meilleur goût mais mon inquiétude partait d'un bon sentiment. Nos relations étant ce qu'elles sont, c'est-à-dire nulles, il se pourrait que l'un de nous deux " claque " sans que l'autre en soit informé.* »

L'adulte savait beaucoup de choses, c'était un homme cultivé, plein d'érudition livresque. Il voyageait, rencontrait toutes sortes de gens, s'exprimait en public avec aisance. Malgré sa finesse et sa science, le narrateur se montrait pourtant presque stupide dans la vie ordinaire. Il se laissait facilement duper et accordait à des gens sans scrupules une désarmante confiance. Lui démontrait-on sa naïveté, il se fâchait tout net. Avec un amusement attendri, l'enfant le regardait s'empêtrer dans des situations dont le premier venu aurait su se tirer en moins d'une minute.

Au fond, l'enfant considérait le narrateur comme un autre enfant, plus naïf et plus démuni. Un frère cadet, qui aurait sur lui l'avantage de connaître le maniement du langage. Car lui était resté un véritable enfant, un muet donc. Dans son silence, de même que dans celui des bêtes, il entendait des choses qui échappaient à son double.

L'enfant écoutait avec plaisir les plaidoiries de son double, car il aimait les belles argumentations, solidement bâties, étayées de considérations irréfutables. C'était un jeu, parmi les plus divertissants. Ces cathédrales oratoires ressemblaient aux châteaux de ses contes.

De peur de déchaîner une tempête rhétorique, l'enfant se garderait pourtant bien de confier au scribe sa conviction que leur mère s'accrochait à la vie avec l'espoir de leur survivre et que, sans l'illusion d'une revanche posthume, elle aurait déjà lâché prise. Son double aurait aussitôt entrepris de lui démontrer l'inanité d'une telle pensée, contraire aux lois de la logique et, même, de la physique. Dans sa rage de convaincre, le scribe n'hésitait pas à faire feu de tout bois. Il convoquait Einstein avec Aristote et saint Thomas.

Sur tout autre sujet, l'enfant se serait amusé à provoquer l'écrivain pour le plaisir d'écouter une plaidoirie magnifique.

Mais il ne se sentait pas le courage de l'entendre parler de leur mère, qu'il connaissait mieux et plus intimement que le narrateur, malgré tous les livres qu'il avait écrits sur elle. Les aurait-il faits d'ailleurs, s'il ne s'était, lui, tenu dans la coulisse pour souffler au scribe les sentiments qu'il mettait ensuite en musique ?

De Dina en Fina, le narrateur se perdait en raffinements exquis. Il oubliait toutefois de voir ce qui sautait aux yeux. La vérité était plus simple, plus bête aussi, et l'enfant l'avait toujours sue. Leur mère était méchante. Naturellement, ce constat ne satisfaisait pas son frère, qui aimait les cornues et les alambics. Il distillait le mot, le filtrait, le décomposait. Au bout de cette alchimie langagière, il ressortait une quintessence si subtile que personne ne savait plus la reconnaître. L'enfant se demandait si le scribe ne s'acharnait pas sur ces cornues pour le conforter, lui, pour endormir sa peur. Il y avait du reste réussi, puisque, bercé de périodes diaprées, l'enfant avait pu traverser l'existence pour atteindre cette heure où tout, enfin, se dénouait ; où, avec l'annonce de cette mort, l'angoisse se détachait de lui, comme la vieille peau se détache du serpent.

Ce sentiment de délivrance n'avait pourtant pas duré. L'antique tristesse s'était ressaisie de lui. Une mélancolie désabusée plutôt. Morte, la méchante Reine continuerait de vivre en lui.

Il n'arrivait pas à la nommer.

Maman, Mamita, ces noms qu'il lui donnait dans sa petite enfance appartenaient à un passé si lointain que, s'il les évoquait, leur ridicule amenait sur ses lèvres un vague sourire de dérision. Avec quelle ferveur il les criait ! Mais celle à qui ces doux noms s'adressaient avait disparu depuis longtemps.

L'enfant n'avait pas perdu sa mère. C'est elle qui l'avait perdu.

Plus tard, il prit l'habitude de l'appeler par son prénom, Candida, dont l'ironie l'amusait. Lorsqu'il l'eut retrouvée, après treize ans de séparation, tranquillement assise dans sa vie, sans plus de remords que de regrets, emberlificotée dans ses justifications, toujours satisfaite d'elle-même, majestueuse d'indifférence et de dédain, il découvrit qu'elle avait renié le prénom de sa jeunesse, comme on tourne une page. Elle avait adopté celui de Victoria, avec lequel elle signait ses articles et même l'unique livre qu'elle publia en Argentine, *El Desastre*, titre qui lui paraissait également chargé d'ironie.

Dans ses lettres, il lui écrivait *Ma chère mère*, ce qu'il était le premier à trouver ridicule. Elle lui répondit par un *Mon cher fils*, dont il sourit, saluant la pertinence de la riposte. Aux amis, il disait *ma mère* alors que sa famille paternelle, qui l'avait connue dans sa jeunesse, continuait de l'appeler Candida.

Il n'était même pas sûr de l'exactitude de ces prénoms, qu'elle aurait très bien pu inventer, comme elle s'inventait des vies imaginaires. Il ignorait jusqu'à son âge et le lieu précis de sa naissance. Grenade ou Madrid ? En 1951, on avait joué une pièce d'elle, une comédie, et, aux journalistes qui l'interrogeaient, elle déclara avoir vu le jour à Séville. Quant à l'année, 1912, 1910 ou 1905 ? Chacune de ces dates figurait sur certains documents officiels qu'il lui était arrivé d'apercevoir. Trop fine pour ne pas remarquer son trouble, elle trouvait une explication plausible, sinon convaincante : elle s'était rajeunie pour continuer de travailler au-delà de la limite fixée pour la retraite, il s'agissait d'une erreur de l'administration...

Souvent, il pensait qu'elle tournait dans ses vies comme dans une forêt enchantée, incapable de retrouver son chemin. Peut-être avait-elle commencé à mentir par nécessité. Avec le temps, le mensonge avait fini par se confondre avec sa personne.

21

L'entendant se contredire d'une heure à l'autre, l'enfant s'interrogeait sur son intelligence. Il aurait fini par la croire idiote si elle ne lui avait, à deux ou trois reprises, fourni la preuve d'une lucidité supérieure. Chaque fois, il s'était agi de sujets généraux, notamment politiques. Sa parole alors durcissait, ses analyses se révélaient d'une impitoyable clarté. Resserré, le style contrastait avec celui, tout en digressions et en incidentes, qui lui était habituel. Cette rigueur se montrait au piano où son jeu répugnait aux effusions. On aurait pu se demander s'il s'agissait bien de la même femme. La question manquait de pertinence. Elle était, non pas deux, mais d'innombrables femmes. Elle refusait de se reconnaître dans ses existences antérieures, balayait, d'un geste de sa petite main — elle était très fière de la petitesse et de la finesse de ses mains —, toute allusion au passé.

Si elle n'aimait pas s'attarder sur le passé, elle cultivait avec délectation ses rancunes. Aurait-elle voué une haine si tenace à l'enfant s'il ne s'était rendu coupable du seul crime inexpiable, exister par lui-même ? Elle ne lui pardonnait pas de vivre détaché d'elle et, surtout, de lui survivre. Elle détestait son regard placide, qui la fixait avec une douceur insupportable. Il appartenait à une de ses vies antérieures dont elle ne voulait pas se souvenir. Il n'aurait jamais dû revenir de là où elle l'avait expédié. Pour comble de malchance, ce nigaud n'avait rien oublié, pas un nom propre, pas un lieu.

Au commencement de leur nouvelle vie, en 1955, elle avait essayé plusieurs stratégies pour le désarmer, de la séduction à l'apitoiement. Ce faible possédait néanmoins une force redoutable, faite d'inertie et de passivité. Certes, il était facilement tombé dans le piège qu'elle lui avait tendu, mais il n'avait pas tardé à se ressaisir et à se défendre, avec une énergie dont elle l'eût cru incapable. Quant aux déploiements de la séduction, elle dut s'avouer qu'il y était non seulement insensible, mais que ses cajoleries produisaient chez ce niais un mouvement de recul et, même, de dégoût. Si elle avait pu, elle l'aurait liquidé pour de bon, écartant du même coup la menace qu'il incarnait. Elle fit de son mieux ; elle se répandit en ragots et calomnies, prise d'une rage de destruction que rien n'arrêtait, pas même la peur du ridicule. Elle mena sa campagne avec le sang-froid et la lucidité dont elle savait, en certaines circonstances, faire preuve. Peut-être serait-elle parvenue à ses fins si l'enfant n'avait été servi par sa candeur, qui lui souffla la seule parade susceptible de l'arrêter. Il se servit d'une arme dont elle ne soupçonnait même plus l'existence : il usa de la vérité. Qu'avait-il à dissimuler que sa honte, qui lui avait été inoculée à sa naissance ? Sa mémoire fit le reste en l'aidant à rassembler des preuves et des documents. Mais il ne se remit jamais de ce plaidoyer sordide, prononcé devant des juges indifférents. En rouvrant ce dossier pourri, il eut le sentiment de mourir une seconde fois.

Depuis, la vie réelle et les gens ordinaires lui apparaissaient comme un décor dont il était le spectateur éberlué. Rien n'avait de consistance, tout, sous son regard vide, semblait se déliter. L'univers devenait un magma informe où les personnages flottaient, tels des fantômes. Dans cette soupe primitive, la rétine de l'enfant distinguait néanmoins chaque variation de couleur, ses narines flairaient chaque odeur, ses oreilles captaient des sons à peine audibles. Ainsi vivait-il à deux niveaux, absent et comme indifférent aux turbulences de la réalité et formidablement présent à la plus fine nuance.

Il m'arrive de ne plus savoir à quel moment le narrateur prend le relais de l'enfant. La substitution s'opère de manière si insidieuse et progressive que l'un continue de chercher ses mots alors que le second les range déjà dans l'ordre du récit.

Parfois, les mots me manquent pour décrire ce que l'enfant vit, muré dans son silence.

Quelles pensées le traversent alors que le train court à trois cents kilomètres à l'heure dans une Bourgogne enfouie sous la neige? Quels sentiments l'agitent? Depuis Montélimar, il n'a pas bougé, son front toujours contre la vitre. Une longue habitude du malheur et de la solitude lui a enseigné cette immobilité du gibier qui se couche, mimant la mort. En le voyant recroquevillé au fond de son fauteuil, je me demande s'il imagine le spectacle qui l'attend à Paris. Non, il n'imagine rien. Il s'attend toujours au pire, aucune horreur ne saurait plus le surprendre. Il tue le temps, tout simplement, c'est-à-dire qu'il enregistre chaque détail du paysage, les villages juchés sur les collines, les clochers, la silhouette d'un jeune homme sur le quai d'une gare, son sac posé à ses pieds.

III

À mon arrivée à Paris, Rémy ne posa aucune question, évita les condoléances et autres formules de circonstance. Il se contenta de scruter mon regard comme pour y surprendre l'effet produit par l'événement. De tous mes amis, il était l'un des rares à connaître les deux personnages cachés derrière mon apparence. Il entendait les propos du romancier et il écoutait le silence de l'enfant. Peut-être se demandait-il si le second n'allait pas, en cette circonstance, prendre le pas sur le premier? Je m'employai à le rassurer. En tant que personne réelle, l'enfant n'existait plus depuis des années. Réduit au silence de la sidération, il ne survivait plus que par les récits du narrateur. Sa vie était suspendue à cette coulée de phrases, comme l'opéré à ses perfusions.

Depuis toujours, il se lovait dans les mots où il puisait la force de résister à sa débâcle. Ce furent d'abord *Les Mille et Une Nuits* dont il retenait moins les intrigues que l'alchimie des phrases. Parler pour ne pas mourir, comment l'enfant n'eût-il pas entendu la leçon? Bientôt, ces féeries ne suffirent pourtant plus à endiguer l'avalanche de l'horreur. L'enfant découvrit alors le prodige d'une noirceur maîtrisée, coulée dans la langue. Il comprit que son salut dépendrait de cette lucidité désabusée.

Comment cependant éclairer ce qui n'existe pas? Car

l'enfant ne possédait aucune vie qu'il pût transposer. Aucun récit familial ne soutenait sa mémoire, nul lieu ne l'assurait d'une permanence. Il flottait entre des récits incertains, d'une chambre d'hôtel à une baraque dans un camp, d'un pays à un autre, d'une geôle à un orphelinat, ballotté par les événements. Son instinct lui soufflait de ne pas s'accrocher aux confidences de sa mère, qui l'auraient définitivement égaré. Comme tant d'autres enfants en perdition, il trouva refuge dans les livres, qui, faute de lui apprendre sa vie, lui enseignèrent son destin.

De lecteur, il devint narrateur. Il prit plaisir à écouter la voix de ce double, qui le consolait de son inexistence. Avec les mots, il se forgeait une identité rêvée. Il les suivait à la trace, les débusquait dans les dictionnaires, les décortiquait dans les manuels de grammaire. Il s'y abîmait corps et âme, sans trop se demander où cette chasse le conduisait. Mystérieusement, les mots le délivrèrent des incertitudes et des mensonges. Ils le guidèrent vers leur justice austère, qui est aussi une morale. Ils redressèrent sa colonne. Faute d'une justification, il eut désormais l'orgueil de sa langue.

Il ne courba pas non plus l'échine en se rendant rue des Archives et il gardait, en s'engouffrant dans l'ascenseur, cet air que d'aucuns prenaient pour de la morgue, et qui n'était que l'exaspération du sens de sa dignité. Il montrait peu parce que ce qu'il aurait pu montrer lui semblait indécent. S'il marqua, sur le palier, un court instant d'hésitation, ce fut à cause de l'odeur, pire que tout ce qu'il avait imaginé. Elle l'étouffait, piquait ses yeux, faisait remonter dans sa bouche un goût de bile. Une âcre puanteur de pisse, de pharmacie, de crasse, de moisissure et de décomposition. Mêlée à l'encens qui retenait et alourdissait cette pestilence, il respira une odeur plus suave, vaguement écœurante, qu'il hésitait à reconnaître. Il l'avait pourtant reniflée souvent dans son enfance, entre 1942 et 1945, mais il avait fini par l'oublier, comme on écarte un cauchemar. Se raidissant, il appuya sur la sonnette, déclenchant les aboiements hystériques d'un minuscule yorkshire qui tournoyait sur lui-même dans le vestibule.

Dissimulé dans la pénombre, Félix le considéra un long moment avec une expression d'ahurissement.

Je remarquai le costume de velours gris-bleu que je lui avais souvent vu lors de nos sorties au restaurant, la chemise de nylon froissée, la cravate de soie noire, maculée de taches, les épaisses chaussures jaunes à grosses semelles de crêpe.

Comme à chacune de ses visites, l'enfant restait figé, un léger sourire autour de ses lèvres. L'aurais-je moins connu, je l'aurais pris pour un demeuré. Je savais ce que dissimulait son impassibilité. Alors que, submergé par cette vague de puanteur, ma réaction eût été de prendre mes jambes à mon cou, de courir jusqu'à la Seine pour respirer, lui, au contraire, s'y abandonnait avec un écœurement résigné. Cette passivité, qui souvent m'enrageait, j'avais fini par comprendre qu'elle était tout, sauf de la faiblesse. Il s'agit d'une tactique de survie, parmi les plus efficaces, et qui consiste à se fondre dans le paysage, à s'y couler.

Dédaignant le spectacle de ruine qui s'offrait à nos yeux, le petit gardait son regard attaché à Félix, avec une insupportable expression de compassion. Je le sentais ému par le personnage, avec son œil de verre, ses épaisses mains aux ongles noircis, le bout de sa langue pendant de sa bouche édentée, de rares mèches de cheveux blancs au-dessus du crâne dégarni. Derrière cette apparence fruste et cassée, l'enfant distinguait une vie de travail exténuant, qui la lui rendait émouvante et, même, pathétique. Des propos incohérents s'échappaient de ses lèvres violacées, piquetées de boutons de fièvre.

27

« Je suis perdu, répétait Félix. Je ne sais plus où j'en suis, ni comment je vis... La veille encore de sa mort, elle a bu un verre d'Orangina. Elle se tenait assise là, dans ce fauteuil que j'ai commandé pour elle. Douze mille francs, tu te rends compte?... Elle vivait assise là, depuis plus de trois ans, son petit chien sur les genoux, la radio toujours allumée, de jour comme de nuit. La lampe aussi restait allumée. Elle ne supportait pas l'obscurité... »

Il arpentait la salle de séjour, remuait ses grands bras, s'arrêtait pour renifler et souffler dans un mouchoir à carreaux. C'était un homme perdu et, même, éperdu, affolé par sa solitude, incapable d'accomplir les gestes les plus simples.

« Athos, fit-il en réponse à ma question. Il s'appelle Athos. Il possède un pedigree superbe, je te le montrerai. Un chien de pure race, fils d'un champion et d'une championne... Où donc ai-je pu fourrer ce papier? Oui, nous le chercherons plus tard. Elle l'a payé une fortune. Tu sais comment elle était... »

J'avais saisi l'allusion. Si l'argent existait ou non, la question ne se posait pas pour Candida. Tous les moyens lui étaient bons, jusqu'aux expédients les plus douteux. Du reste, la somme, quelle qu'elle fût, existait bel et bien, à tout le moins dans son esprit.

« Je suis content que tu sois venu. Elle serait heureuse de te savoir ici. Pour elle, il n'y avait que toi au monde. Elle n'a aimé que toi... Si, si, il faut me croire! Je sais ce qui s'est passé. Je sais bien plus de choses que tu ne l'imagines. J'ai l'air, comme ça, d'un idiot, mais je comprends tout. Ça m'arrange de me donner des airs d'imbécile. Je fais parler les gens, tu saisis? Ils oublient de se défier. Ils se découvrent tels qu'ils sont...

« Une paralysie, reprit-il en changeant de ton. Il y a trois ans, elle a eu une attaque, tout le côté droit était comme mort. Je l'ai soignée... Tu ne peux pas savoir, Michel, tout ce que j'ai fait pour elle. Je cuisinais, je la lavais, je faisais les courses. Je restais toute la journée à lui tenir la main, à lui parler. Elle ne voulait d'ailleurs que moi. Une fois, une assistante sociale s'est présentée pour proposer son aide. Elle m'a demandé de la renvoyer. Le médecin, qui la visitait deux fois par semaine, prétendait qu'elle serait mieux soignée à l'hôpital. Mais, de l'hôpital, elle ne voulait pas non plus. Elle tenait à mourir ici, à mes côtés.

« Les autres l'ont connue riche, ils ont profité d'elle. Moi, je l'ai prise pauvre, sans même un toit. J'ai travaillé jour et nuit pour qu'elle ne manque de rien. Son champagne, ses cigarettes anglaises, ses parfums... Elle était gâtée comme une reine. Tout ce que je gagnais, c'était pour elle, pour qu'elle puisse mener la vie qu'elle avait toujours menée. Je ne suis qu'un ouvrier, mais je gagnais bien ma vie, je faisais des heures supplémentaires, je bricolais même au noir, après ma journée. Tu ne peux pas savoir combien je l'aimais ! »

Il ne cessait de pleurnicher et renifler que pour émettre des ricanements bizarres, telles des quintes de toux.

Depuis que j'avais mis le pied dans l'appartement, je n'osais ni bouger ni m'asseoir. Je suffoquais. Dans l'espoir d'atténuer cette puanteur, j'avais discrètement allumé un bâtonnet d'encens qui traînait sur une table. J'évitais aussi de regarder autour de moi.

Une couche de poussière noirâtre recouvrait les tentures, les tableaux disparaissaient derrière un nuage crasseux, les voilages, aux fenêtres, semblaient enduits de charbon, on ne voyait rien à travers les vitres, opaques et graisseuses. Quant au fauteuil où elle avait passé ses dernières années...

À chacun de mes mouvements, les semelles de mes chaussures collaient à la moquette qui, verte à l'origine, avait pris une teinte d'un brun suspect. Gluante et spon-

29

gieuse, j'avais l'impression de fouler une pelouse détrempée par des pluies incessantes.

« C'est le chien, expliqua Félix d'un ton gêné. Il fait ses besoins partout, depuis des années. Elle ne voulait pas qu'il sorte. Elle avait peur qu'il ne prenne froid. C'était son fi-fils, comme elle l'appelait. (Toujours ce rire étrange, rauque et saccadé.) Elle refusait que je le lave ou le conduise chez le vétérinaire pour qu'on lui coupe les ongles. Regarde un peu ! J'ai peur qu'il ne se blesse... C'est qu'il ne la quittait pas une seconde, toujours sur ses genoux... Tout est dégoûtant, je le sais... Je faisais ce que je pouvais, je lavais chaque matin partout à l'eau de Javel... Mais ce chien, cinq ans sans sortir, tu te rends compte ?... J'ai toujours fait ce qu'elle a voulu. Comme elle s'enrhumait facilement, je n'ouvrais pas les fenêtres. Il faudrait d'ailleurs les changer, les cadres sont pourris...

« Jamais, non ! Pas une fois en cinq ans. Elle avait horreur des courants d'air. Je brûlais du parfum, Guerlain, elle n'en supportait pas d'autre. Moi, l'odeur ne m'incommode pas, je ne la sens plus... Je crois qu'elle m'a tout de même aimé un peu... »

Je ressentis le tressaillement de l'enfant — *je crois qu'elle m'a tout de même aimé un peu !* —, je sus quelle douleur ce cri réveillait en lui. Il avait presque réussi à l'oublier et voilà qu'elle lui revenait.

À cet instant, la pensée traversa mon esprit que, malgré leurs différences, un lien mystérieux unissait ces deux êtres, par ailleurs si dissemblables. Je contemplai mon petit frère avec une curiosité vorace, féroce presque, comme pour lui arracher, enfin, ce secret que je tentais en vain de percer. Mais il gardait ses yeux sur Félix, avec ce même air de douceur tendre.

Je me mis alors à explorer cet univers indescriptible. On aurait pu penser qu'une bande de vandales avait tout saccagé, vidé les armoires et les tiroirs, répandu les affaires par terre, renversé les meubles.

Partout, des papiers jaunis, des piles de journaux, des dossiers défraîchis, entassés dans les coins. Sur des étagères, protégés par des vitres opaques, maculées de taches graisseuses, des livres reliés, commandés par correspondance : les œuvres complètes de Molière, de Bossuet, de La Fontaine, de Balzac et de Giono. Peu de modernes, Joseph Kessel, Maurice Genevoix, quelques romans à succès, traduits de l'américain.

À cause de l'épaisse couche de suie qui obscurcissait les fenêtres, une atmosphère de pénombre régnait dans la pièce encombrée de meubles au vernis presque noir, basse de plafond. Un décor entre le souk oriental et le bazar persan, imprégné d'une religiosité barbare.

« Je n'arrivais pas à retrouver ton adresse, j'ai donc téléphoné à ma fille. Elle s'est occupée de l'enterrement. Je n'entends rien à ces démarches, les papiers, ça n'a jamais été mon fort. C'est elle qui a fait le nécessaire, la mairie, les pompes funèbres...

« Chaque mardi, ta mère remplissait un chèque que j'allais toucher à la banque, dit-il, poursuivant une idée qui m'échappait. Il n'était pas question de traîner, tu peux me croire ! Si, par hasard, j'avais quelques minutes de retard, je me faisais engueuler, passe-moi le mot. Je n'avais pas le droit de bouger. Je n'ai pas couché dans le lit depuis trois ans. Regarde... »

En deux enjambées, Félix traversa le couloir, marcha vers le lit, s'assit sur le bord du matelas et, les pieds touchant le parquet, se renversa d'un mouvement brusque.

« Voilà comment je dormais. Sans me déshabiller. Trois heures par nuit, jamais davantage. Vingt fois, elle m'appelait : " *Félix, Félix, donne-moi un verre d'eau, passe-moi mes médicaments, je voudrais manger un biscuit.* " Je suis à bout, tu comprends ?

« Elle n'était pas facile. Même malade, je devais la surveiller pour qu'elle ne fasse pas trop de bêtises. Elle téléphonait, elle commandait... Enfin, tu la connais. Il fallait toujours qu'elle fasse des embrouilles. C'est aussi pour ça que je suis soulagé que tu sois venu. Je ne voudrais pas que des étrangers mettent leur nez dans ses papiers... Il y en a plein le coffre, dans les tiroirs du buffet, dans le placard, partout. Sans moi, je peux le dire, elle aurait peut-être fini comme Aldo, ton demi-frère. Toi, tu tiens de ton père, tu gardes les pieds sur terre. Eux, se croyaient toujours au temps des rois, ils voulaient parader... »

Tout en écoutant d'une oreille distraite les paroles de Félix, j'avais réussi à me glisser jusqu'à la fenêtre pour l'entrebâiller. Je tentais d'échapper à l'étouffement en respirant le filet d'air qui coulait vers le vestibule.

L'enfant s'était-il aperçu de mon manège ? Il n'en avait rien montré. Voyait-il la pourriture sur le matelas, les taches d'urine sur le parquet ? Comme hypnotisé, son regard ne se détachait pas du visage du vieil homme. Boire quelqu'un des yeux : jamais l'expression ne m'avait paru plus juste.

J'en vins à me demander si c'était bien ce vieux fou, égaré dans sa douleur, qu'il regardait de la sorte, ou si, derrière sa réalité, il ne contemplait pas une réalité cachée.

Nous étions soudés l'un à l'autre, deux jumeaux univitellins. Aucune de ses réactions, pas la plus fine nuance de ses sentiments n'aurait pu m'échapper. À ce moment cependant, je le sentais impénétrable, retranché dans son secret. Si des pensées s'étaient formées dans sa tête, c'est-à-dire des mots, j'aurais lu en lui à livre ouvert. Mais il se trouvait en deçà du langage. Je lui en voulus de s'évader dans son silence. J'aurais voulu le secouer, lui crier : « *Mais enfin, vois-tu ce qui nous entoure ? Comment peux-tu supporter cette infection ? Toi, si délicat, comment ne recules-tu pas devant pareille horreur ?* » Je gardai mes pensées, sachant que, d'une part, il les entendait et que, de l'autre, il n'en tiendrait aucun compte.

Nous nous trouvions englués dans l'un de ces faits divers sordides dont la presse à sensation fait ses choux gras, une de ces histoires qu'on lit avec une curiosité morbide. Vraies sans doute, par là même invraisemblables, ce qui d'ailleurs me choquait. Jamais je n'oserai décrire pareil tableau, trop nauséabond, pour ne pas offusquer le lecteur. Mais mon double ne réagissait pas, s'incrustait, devenait de plus en plus lourd. Qu'espérait-il donc découvrir avec son regard lucide ?

« Je n'arrivais même plus à la soulever, poursuivait Félix. Elle a toujours été forte, tu le sais. À la fin, elle pesait cent vingt kilos... Tiens, regarde ! »

Avec la même brusquerie que pour s'allonger sur le lit, il se précipita vers une commode, sortit un mètre d'un tiroir, mesura, montra entre les deux index.

« C'était l'épaisseur de ses cuisses, dit-il. Elle glissait dans son fauteuil. Pour la redresser, je m'étais fabriqué un harnais, comme ça... »

Félix ne pouvait entreprendre un récit sans le mimer. Il exhibait à présent un harnais rudimentaire qu'il passait autour de son cou et de ses reins. Puis, il s'agenouilla devant le fauteuil, fit mine de pousser de toutes ses forces. Sous l'effort, son visage se congestionna, comme s'il remuait vraiment cette montagne de chairs. De nervosité, je faillis éclater de rire.

Devant l'expression de l'enfant, j'étouffai ma gaieté. Et tout, soudain, s'éclaira : son recueillement, l'attention patiente avec laquelle il suivait les explications de Félix, son regard compatissant... Dans le délire de ce vieil homme, mon double contemplait sa propre folie. Cet amour absolu dont on parle sans y croire vraiment, cette transe qui jette dans la ruine, l'enfant les avait vécus. En Félix, il contemplait son propre anéantissement. Jusqu'à l'âge de neuf ans, il avait été ce jouet qu'une volonté capricieuse prend, caresse, flatte et rejette. Le temps s'était renversé, le passé était aboli. L'enfant se mirait en Félix, se reconnaissait en lui, tel qu'il serait devenu si le destin n'avait pas tranché le lien fatal. Je voulus le consoler et je m'aperçus, au regard qu'il me lança, qu'il m'était reconnaissant de l'avoir compris. Depuis toujours, mon rôle ne consiste-t-il pas à lui tendre les mots qui lui manquent?

IV

La sonnerie de la porte retentit et Athos reprit son manège : il tournait sur lui-même, jetait des aboiements stridents. Il jappait aussi chaque fois que le téléphone sonnait.

Sa taille minuscule, le ruban rouge, du moins avait-il eu cette couleur, noué au sommet de son crâne, le regard déluré l'eussent rendu sympathique, n'eût été la crasse qui emmêlait et collait son pelage. Depuis notre arrivée, j'évitais de le regarder. Je n'avais jamais aimé les yorkshires, ni du reste aucun chien de taille réduite. Celui-là m'inspirait autant de dégoût que d'antipathie. Il se tenait d'ailleurs à distance.

Comme par un fait exprès, l'enfant ne cessait de le couver du regard, lui chuchotait des mots doux, le caressait. Il finit par le prendre dans les bras, au risque de se retrouver couvert de vermine. On aurait dit qu'il s'amusait à me contrarier. A plusieurs reprises, j'avais surpris un sourire d'ironie. Peut-être se moquait-il de moi ? C'était assez dans son caractère.

Pour proches que nous soyons l'un de l'autre, il m'arrive de ne rien entendre à ses réactions. Ainsi, les cavalcades hystériques d'Athos avaient l'air de l'enchanter et il suivait ses tours de piste avec un sourire satisfait, l'air de dire : « Parfait, c'est tout à fait ça. »

35

Avec l'intrusion de Marie-Louise Bouguet, je marquai cependant un point. C'était une femme grande, d'environ quarante ans, bien faite, d'une beauté théâtrale, mise avec une stricte élégance provinciale. Elle possédait l'assurance que donne l'habitude de plaire et parlait d'une voix sonore, aux accents d'impatience et de colère.

« Ah! vous êtes enfin arrivé? Mon père ne retrouvait pas votre numéro, j'ai eu l'idée de téléphoner chez votre éditeur. Je désespérais de vous joindre.

« Tiens, papa, je remets les papiers à leur place. Ne va surtout pas raconter que je les ai gardés. Je me suis occupé de l'enterrement, qui a lieu demain à quinze heures trente, au cimetière de Thiais. Je viendrai te chercher en taxi.

— Tu as pensé au prêtre?

— Quel prêtre? Tu feras célébrer une messe, si ça te chante.

— Je suis très croyant, dit Félix en se tournant vers moi. Tu me trouveras peut-être ridicule, j'ai toujours été bon catholique. Ta mère était pieuse, elle aussi. Elle gardait une médaille de la Vierge des Douleurs autour du cou, la patronne de Grenade.

— Avec le nombre de maris et d'enfants qu'elle a eus, tu t'arrangeras avec le prêtre, ricana Marie-Louise.

— Tu n'as pas le droit de parler ainsi d'elle, tu m'entends! Vicky était une sainte. Une sainte, parfaitement! Comment pourrais-tu comprendre une femme comme elle?

— Une sainte! » murmura la fille avec une intonation goguenarde.

Elle marcha jusqu'au coffre dont elle souleva le couvercle, y déposa la liasse de documents qu'elle tenait à la main.

« Tout est là, tu t'en souviendras? »

Félix continuait de marmonner dans sa barbe; je saisissais quelques bribes de son monologue furieux : « *Parfaite-*

36

ment, une sainte !... Qui es-tu pour la juger ?... Devant elle, tu devrais te prosterner. »

« Mon téléphone était resté décroché, dis-je à Marie-Louise pour détourner son attention. Je suis parti dès que j'ai su...

— Je voulais que vous soyez prévenu. J'ignore quelles étaient vos relations avec votre mère.

— Je ne l'avais pas revue depuis cinq ans.

— Elle était déjà paralysée ?

— Non. Elle marchait avec difficulté, elle paraissait à bout de souffle. Je pensais que son cœur la lâcherait.

— Le cœur a tenu bon jusqu'au bout, selon ce que m'a dit le médecin. La tête aussi, du reste. Elle s'est vue et s'est sentie mourir. La veille encore, elle a parlé au téléphone avec un voisin.

— Non, elle est morte à quinze heures trente-cinq, cria Félix en se rapprochant de nous avec des airs soupçonneux. Je me tenais debout, là, près d'elle. J'ai essuyé ses lèvres avec un mouchoir. Sa tête a soudain glissé de côté. J'ai pris sa main, j'ai appelé : " *Vicky ! Ma chérie !... Candida !* "... Excusez-moi.

— Il est sourd, murmura sa fille. Il s'imagine que nous disons du mal de lui.

« Je suis contente de vous connaître. J'avais entendu de telles horreurs sur votre compte. Je ne savais que penser. De parler, enfin, avec une personne normale me fait du bien.

« Vous avez vu, n'est-ce pas ? dit-elle en désignant la pièce d'un mouvement de la tête. J'ai passé la journée d'hier à nettoyer. Quand j'ai ouvert le coffre pour chercher les papiers, j'ai aperçu des armées de bestioles, des punaises ou des cafards, je ne sais trop. Il y en a partout, derrière les livres, dans les armoires, le long des plinthes. Et vous avez regardé sous le fauteuil ? Il faut faire venir les services de l'hygiène, tout désinfecter, il faudrait arracher la moquette,

37

les tentures, badigeonner les murs de blanc. Remarquez, mon père a toujours été un original.

— Vous voyiez souvent votre père ?

— Moi ? se récria-t-elle. Je l'ai rencontré deux ou trois fois alors que j'étais toute petite, je l'ai revu quand j'avais seize ans, puis encore plus tard. Victoria, enfin Candida, je ne sais plus, m'avait écrit en me promettant un travail. Je suis restée avec mes deux enfants une quinzaine de jours à Paris, j'ai repris le train pour Lyon. L'emploi, c'était comme le reste... Elle mentait comme elle respirait. Est-il vrai qu'elle ait été riche ?

— Plus que ça sans doute.

— Remarquez, ils sont loin d'être pauvres. Ils disposent à la banque d'un confortable magot, l'appartement leur appartient... Tout cela est fou ! »

Dès que Marie-Louise était apparue, l'enfant s'était rétracté. Un certain type de personnes lui inspirait une vague terreur et Marie-Louise appartenait à cette espèce-là. Trop décidée d'allure, trop abrupte dans ses propos, trop définitive dans ses jugements, elle ne pouvait qu'effaroucher l'enfant, qui se tenait caché dans l'ombre.

Je faisais exprès de m'empresser autour de la visiteuse et je sentais la sourde hostilité de mon double, exaspéré par mes courbettes. Avec ses cajoleries à l'infâme cabot, il avait bien mérité la petite correction. Je ne tardai pourtant pas à m'apercevoir que, plus la fille de Félix parlait, plus l'attention de l'enfant se réveillait.

« Un jour, j'ai voulu lui présenter mes enfants, raconta Marie-Louise. Je pensais qu'il était nécessaire pour eux de connaître leur grand-père. J'ai téléphoné... Elle lui a juste permis de descendre dix minutes dans la rue, le temps de faire une photo. Elle le tenait, un véritable lavage de cerveau.

— Quels enfants ? hurla Félix avec la même expression de défiance.

— Les miens, mes deux filles et mes deux garçons, je t'ai envoyé la photo.

— Je l'ai, la photo, dans le bureau. Qu'est-ce que tu crois ? Tu veux que je te la montre ? Tu oublies de dire à Michel que tes fils sont des voyous, qui ont fait de la prison.

— Mais qu'est-ce que tu racontes ? L'un travaille dans une banque, l'autre... Vous vous rendez compte ? » demanda-t-elle en posant sur moi un regard meurtri.

Dans mon dos, je sentis le mouvement de l'enfant. Il avait encaissé le coup en même temps qu'elle.

« Ce n'est pas grave, murmurai-je. J'ai toujours connu ça.

— Pas grave pour vous, dit-elle avec humeur. Pour des étrangers...

« Les gens croient toujours le pire. J'avais d'abord pensé l'héberger dans notre propriété. Mon mari et moi avons retapé une maison, attenante à la nôtre. Comment voulez-vous ?... Nous habitons un village où chacun se connaît.

— Tu peux dire ce que tu veux, intervint Félix d'une voix fielleuse. Je te connais, moi, et je connais ta mère.

— Il faut que je parte, Félix. Nous dînerons ensemble, si tu le veux bien.

— Tu ne me laisseras pas, n'est-ce pas ? Je n'ai que toi. Seul, je suis perdu. »

Il prit ma main, la serra, larmoya.

« Je m'en vais aussi, murmura sa fille d'une voix lasse. Je reviendrai te chercher demain pour l'enterrement. »

V

Nous descendîmes ensemble dans l'ascenseur, sans échanger un mot. Une fois dehors, nous suivîmes la rue des Archives en direction de l'Hôtel de Ville.

« Je n'imaginais pas, dis-je en respirant profondément.

— Ne vous plaignez pas. Vous avez échappé au pire. Lorsque je suis arrivée, le corps se trouvait encore sur le lit. Les pompes funèbres ont refusé de procéder à la mise en bière dans l'appartement, à cause du poids. Ils l'ont descendue debout dans l'ascenseur. »

Je me détournai pour pouffer. Je m'aperçus que l'enfant riait aussi, à gorge déployée. Nous nous soulagions de toute l'exaspération accumulée. Nous n'arrivions plus à nous arrêter.

« Excusez-moi, murmurai-je entre deux éclats de rire. C'est nerveux.

— Vous avez de la chance de pouvoir en rire, dit-elle d'un ton pincé. Moi, ça me rend malade. Je n'arrive plus à avaler une bouchée. Avec ça, vous l'avez entendu ? Il invente n'importe quoi. On croirait qu'il éprouve du plaisir à salir, à dénigrer. Qu'ont bien pu leur faire les gens pour être devenus à ce point méchants ? J'ai reçu quelques lettres de Victoria ; elles sont d'une dureté... Je vous les montrerai.

« Au fait, vous l'appelez comment, vous ?

40

— Candida. C'était son premier prénom, Candida Victoria. Elle l'a porté jusqu'en 1936 où elle a changé quand elle s'est lancée dans le journalisme.

— Elle était docteur en droit?

— Docteur en rien. Tout juste le bac, sans certitude. Mais quand elle a publié *El Desastre*, à Buenos Aires, elle a rédigé une notice biographique où elle se disait docteur en lettres et en philosophie musulmane, avec une thèse sur Averroès.

— C'était qui, Averroès?

— Un philosophe musulman.

« En revanche, elle a obtenu un premier prix de piano au conservatoire de Madrid, en 1924. Elle a même joué avec l'orchestre national.

— Je l'ai entendue jouer, rue Portefoin.

« Combien de maris a-t-elle eus, au juste?

— Maris-maris, trois, peut-être quatre. Il y a eu tous les autres.

— Ils ont compté?

— L'un a dû beaucoup compter, puisqu'elle a plaqué pour lui son mari et son fils, âgé de un an. Ils se sont rencontrés à Saint-Sébastien, en 1925, où elle passait ses vacances. Cela se passait en Espagne, sous Alphonse XIII. Le divorce n'existait pas. D'où le scandale, notamment dans son milieu.

— Pourquoi ne se sont-ils pas mariés?

— Ils ne le pouvaient pas. Il y avait aussi d'obscures affaires d'héritage. Lui appartenait à une vieille famille, mais fauchée. De plus, il buvait. Un de ces noceurs comme on en trouve dans la bonne société, couvert de dettes et de femmes, incapable de ne rien faire de ses dix doigts.

— On l'a obligée à épouser l'autre?

— Elle le prétendait. Elle racontait aussi qu'elle avait été violée. Je ne la crois pas. Même jeune, ce n'était pas exactement une fille soumise.

41

— Alors, pourquoi s'est-elle mariée avec quelqu'un qu'elle n'aimait pas ?

— Un coup de tête. Elle n'avait pas dix-sept ans. Elle voulait, je pense, s'émanciper. À cette époque, une femme n'avait aucune existence légale. Fille ou épouse, elle dépendait toujours d'un homme.

— Le mariage a duré longtemps ?

— Le temps de faire un fils, Carlos.

— Celui qui était ministre de Franco ?

— Il n'a jamais été ministre. Haut fonctionnaire, une carrière d'énarque.

— Elle racontait partout qu'il était ministre.

— Elle ne l'a pas fait président de la République parce qu'il n'y avait plus de République.

— Qui l'a élevé ?

— Son père, un chirurgien originaire de Saint-Domingue, où il est d'ailleurs retourné après... l'incident. Sa grand-mère maternelle surtout. Il a fait ses études à Madrid, au lycée français, à la Faculté de droit ensuite.

— Il y a sa photo de mariage encadrée, dans le salon, dit-elle d'un air perplexe.

— Elle l'a revu quand elle a traversé l'Espagne pour rejoindre l'Afrique du Nord, en 1942. C'était peu après qu'elle m'eut...

— Elle a vécu en Algérie, je sais. Elle y a connu des gens célèbres, des ministres, des écrivains. C'est vrai ?

— C'est vrai. Elle est passée par le Maroc, a vécu un temps à Rabat. Ensuite, elle a rejoint Alger, fin 43 début 44. Elle militait avec les anarchistes, s'est mêlée aux nationalistes algériens.

— C'était une révolutionnaire ?

— C'était une agitée. Une femme supérieurement intelligente et formidablement stupide.

— Vous en parlez comme s'il s'agissait d'une vague

connaissance. Ce n'est pas un reproche. Mon père non plus...
Ce que je fais, c'est par devoir. Je n'ai pas eu de père.
Candida a tout fait pour nous séparer. Elle ne voulait
personne autour de lui.

— Ce n'est pas non plus ma mère, c'est un personnage.

— Pourquoi avez-vous accepté de la revoir...? Je ne sais
pas exactement ce qu'elle vous a fait. Elle disait que la guerre
vous a séparés et que, lorsqu'elle vous a retrouvé, en 1955,
vous l'avez rejetée parce qu'elle était pauvre.

— Je ne sais pas pourquoi je la voyais. Par curiosité sans
doute.

— Par curiosité? répéta Marie-Louise, visiblement cho-
quée.

— Ce n'est qu'un mot.

— Vous connaissez son âge réel?

— Je n'en suis pas certain. Quatre-vingt-trois?...

— Quatre-vingt-huit passés, j'ai regardé l'acte de naissance. 1905. La Sécurité sociale et la mutuelle rechignent à
rembourser parce qu'elle s'était rajeunie de sept ans. Même
son patronyme varie d'une pièce à l'autre. C'est à n'y rien
comprendre.

« Savez-vous que, quand elle a épousé mon père, en
janvier 1955, elle a froidement déclaré à la mairie qu'elle
était célibataire.

« *Cé-li-ba-tai-re!* répéta-t-elle en détachant chaque syllabe.
Vous vous rendez compte!

— En un sens, elle l'était. Elle avait tout oublié de ses vies
antérieures.

— Ces gens-là me font peur. Je me demande comment
vous avez réussi...?

— J'ai survécu.

— Elle vous détestait. Elle tenait sur vous des propos...
écœurants. Elle prétendait qu'elle avait écrit vos livres.

— Je sais... »

Nous marchions sur le quai. Nous déambulions seuls parmi la foule, évoquant une femme qui était née avec le siècle. Il y avait quelque chose d'ubuesque dans notre dialogue.

« J'ai lu votre livre, celui où vous parlez d'elle, Dina, je crois. Vous appelez mon père par son prénom, Félix. Mon mari m'a appris qu'en latin, cela voulait dire heureux. Imbécile heureux.

— Heureux, oui. Imbécile, pourquoi ?

— Elle l'a lessivé. Elle en a fait une chiffe. Il n'a plus aucune pensée à lui. Vous avez vu son costume ? Je lui enverrai des vêtements, des chaussures... C'est fou, totalement fou ! » répéta-t-elle avec colère.

Je ne fis aucun commentaire. Quand ce délire avait-il débuté ? Je l'avais écrit : *Il n'y a pas de commencement*. J'aurais pu interroger l'enfant, mais il me parut fatigué, abattu. J'eus pitié de lui. S'il avait pleuré, peut-être aurais-je été moins ému. Mais il gardait ce même visage lisse, avec toujours ce regard absent.

Ce soir, je lui raconterai une histoire. Je lui parlerai du ton le plus naturel, avec les mots de tous les jours. Il s'endormira apaisé, bercé par mes phrases. Je reculerai son agonie d'encore une nuit. Nous nous tiendrons seuls dans l'obscurité, lui et moi. Je respecterai son secret. Je poserai ma main sur son front.

Il y a si longtemps que nous marchons du même pas...

VI

À peine nous étions-nous engouffrés dans le métro que l'enfant me faussa compagnie. Se faufilant parmi les voyageurs, il se glissa dans un coin, près d'une fenêtre, colla son front à la vitre et se remit à contempler le vide. J'eus toutes les peines à le rejoindre et sans doute l'aurais-je rabroué si je n'avais, à son air, deviné sa détresse. Respectant son mutisme, je passai les voyageurs en revue, attachai mon attention à une vieille femme aux allures de clocharde, qui marmonnait en dodelinant de la tête.

J'ai l'habitude de ses absences. Je sais qu'il ne pense à rien de précis, s'abandonne à des impressions fugitives. C'est un arpenteur de nuages.

Plus le choc a été violent, plus il se persuade de ne rien ressentir. Blindé. On pourrait l'assommer sans lui arracher une plainte. J'imagine qu'à neuf ans, le même indéfinissable sourire détendait ses lèvres.

Je me demande pourquoi je ne lui donne pas de nom, moi qui ai promené dans mes livres nombre d'enfants pareils à lui, perdus dans des couloirs sans fin, tapis sous un piano ou le front contre une vitre. En un sens, je lui ai dérobé son identité. Je suppose que cette usurpation doit parfois l'irriter. Parce qu'il ne parle pas et qu'il ne peut donc pas protester, j'ai omis de le consulter.

Contrairement aux supputations de l'écrivain, il n'y avait, dans l'esprit de l'enfant, ni tristesse ni mélancolie, mais l'intuition d'une parenté spirituelle entre son double et Candida : tous deux avaient la même fureur des mots. Jamais leur pensée ne faisait relâche. Pas de dimanche, pas de jour de fermeture. Il fallait absolument qu'ils taillent un costume de phrases pour chaque impression, pour la moindre sensation, comme si leur vie ne devenait réelle qu'à partir du moment où ils l'avaient cousue dans la syntaxe, manches et revers. Rien n'agaçait l'enfant comme ce bavardage incessant. Il aimait, certes, son double, qui était d'un caractère affable. Il n'imaginait pas de vivre séparé de lui. Comment l'eût-il pu d'ailleurs ? Cette promiscuité de chaque instant finissait pourtant par lui peser. Aussi prenait-il la clé des champs pour vagabonder dans ses rêveries. Naturellement, le scribe, qui traduisait tout, versait chaque geste en son latin de clerc, interprétait ce qu'il appelait ses sentiments, qui n'étaient, le plus souvent, que des oscillations d'humeur.

L'enfant s'étonnait qu'on pût être si intelligent et si stupide en même temps. Son jumeau connaissait mille choses inutiles, il trouvait à tout des explications plausibles et, même, lumineuses. Il avait lu tous les livres ou presque. Cependant, il semblait incapable de sentir les nuances les plus simples. Ainsi, l'écrivain s'était persuadé que, depuis leur visite rue des Archives, il était rempli d'une mélancolie poignante. Il adoptait à son endroit une attitude aussi prévenante qu'irritante. Il évitait le moindre mouvement brusque, bavardait de tout et de rien, feignait de s'intéresser à une vieille clocharde dans le seul but de ne pas attiser son chagrin. En réalité, l'enfant s'était bien amusé. Il avait trouvé le tableau de l'appartement fantastique à souhait.

Une sorte de carnage grandiose, telles ces batailles que peignaient les artistes de la Renaissance, remplies de cadavres délicieusement écartelés, finement écorchés, rôtis à point. Même le dégoût des adultes, leur horreur devant cette saleté, leur mouvement de recul devant cette puanteur avaient ravi l'enfant. Au fond, les grandes personnes ne supportaient pas que les choses ne fussent pas *convenables*.

Les adultes avaient la phobie des microbes, des contagions, de la décrépitude. Entre eux, ils s'entretenaient de diététique, de cures de thalassothérapie, de chirurgie esthétique. Ils avalaient des vitamines, se dopaient d'euphorisants, pratiquaient des gymnastiques orientales à base de *chakras* et autres concentrations zen. Cette peur, son jumeau la partageait et l'enfant s'était amusé à observer les précautions que le scribe prenait pour ne rien toucher dans l'appartement, comme si le moindre objet avait grouillé de virus. Refusant de s'asseoir, il était resté tout le temps debout, avec des airs coincés. Il avait subrepticement entrebâillé la fenêtre de la chambre, se glissant dans le courant d'air. Mais le plus comique avait été sa réaction devant le malheureux petit chien. Il lui aurait volontiers flanqué un coup de pied, tant son apparence crasseuse lui répugnait. C'est exprès, pour faire enrager le scribe, que l'enfant l'avait caressé, pris dans ses bras. En réalité, ce ridicule toutou ne lui inspirait pas non plus de sympathie. Il avait toujours aimé les gros chiens, aux fourrures laineuses, dans lesquelles on peut enfouir ses mains.

À l'énoncé de ce nom, Athos, le scribe n'avait pas non plus tiqué. Il n'ignorait pas que ce nom avait été, entre leur mère et eux, un véritable mot de passe. Quand il avait lu *Les Trois Mousquetaires*, vers l'âge de sept ans, le personnage d'Athos lui avait inspiré une admiration passionnée, sans doute à cause de son amour pour Milady. Or l'écrivain, fin observateur et doté, pour les choses importantes, d'une ahurissante

47

mémoire, n'avait rien trouvé de bizarre au fait que Candida ait appelé Athos son dernier chien. L'enfant se garderait bien d'attirer l'attention de son double sur ce détail. Malgré sa saleté repoussante et sa vermine — il n'arrêtait pas de se gratter —, ce yorkshire ne *symbolisait* rien. Simplement, sa présence occultait une absence que la main de Candida n'avait cessé de caresser tout au long de son agonie.

Candida, l'enfant en avait la conviction, n'avait jamais éprouvé des remords, ni manifesté des regrets. Elle n'était pas immorale, mais tranquillement, cyniquement amorale. Elle se choisissait, elle, à chaque inspiration. Toute sa vie, elle n'avait fait que cela : s'élire.

Si l'écrivain divaguait souvent, c'est qu'il se fourvoyait dans l'univers des idées, cherchait des causes et des motifs. Cette agonie lucide jusqu'à son terme, comment n'en ressentait-il pas l'atroce grandeur ? Candida l'avait voulue, organisée, gérée de bout en bout. Jusqu'à l'ultime limite, elle avait fait front, clouée dans son fauteuil, le téléphone à portée de la main. Elle avait écarté tous les témoins, refusé le secours d'une étrangère comme l'hygiène de l'hôpital. Il lui était bien égal que le décor tombât en ruine. Il ne s'agissait pour elle que de maîtriser sa vie, jusqu'au dernier souffle. Elle avait même retenu le cri qui l'étouffait, tout comme l'enfant avait retenu le sien. Car de cela l'enfant était sûr : depuis des années, un seul nom hantait la pensée de Candida, le sien. Combien de fois, à l'insu du scribe, n'avait-il pas, lui aussi, hésité devant le téléphone ? Il savait néanmoins qu'il était trop tard, trop tard depuis ce jour de l'été 1942. Il avait pardonné, certes, mais, chaque fois qu'il la revoyait, cette chose se dressait entre eux, empoisonnait leur silence. Il aurait suffi d'un mot, qu'elle n'avait jamais pu prononcer : *Pardon*. Son orgueil, ce même orgueil qui l'avait tenue droite devant la mort, l'en avait empêchée. Un acte irrémédiable avait été accompli ce jour-là, il leur avait échappé à tous deux. Ils auraient voulu revenir en arrière. En vain. Candida enrageait de découvrir l'inanité de ses efforts. Rendue furieuse, elle crachait son venin.

Le scribe avait tendance à juger la vie en termes de morale. L'enfant, lui, savait que la tendresse et la cruauté alternent sans cause apparente, que l'amour succède à la haine comme le soleil revient après la pluie. C'est pourquoi cette mort le réjouissait. Il eût été déçu d'apprendre que, à la dernière minute, Candida avait baissé pavillon. Elle était morte ainsi qu'elle avait vécu, avec une violence furieuse, sans faire la moindre concession, sans égard pour personne.

Évidemment, Félix sortait rompu de ce combat. À chacune de ses vies, Candida laissait un cadavre derrière elle : son premier mari, sa mère, son amant, Avelino, ses compagnons successifs, tous ses enfants, l'un après l'autre...

L'écrivain ne voyait en Félix qu'un original, perdu dans ses délires fumeux. Mais l'enfant, qui l'avait observé avec avidité, savait qu'au-delà des déclamations, il y avait en lui, si même intermittente, une lucidité terrible. Cette lumière fendait sa nuit ; il se voyait alors victime consentante, ravie de son esclavage.

Candida, qui ignorait jusqu'au sens du mot fidélité, serait-elle restée près de quarante ans attachée à cet homme, si elle n'avait pas reconnu en lui une part d'elle-même ? À aucun de ses maris ni de ses amants, elle n'avait témoigné une telle constance. L'enfant n'avait pas menti en déclarant à Félix qu'elle n'avait aimé aucun autre homme, pas plus que Félix ne se trompait en lui jurant qu'elle n'avait aimé que lui, son *unique* enfant. Ce mot, amour, n'avait toutefois pas pour Candida le même sens que pour la majorité des gens. C'était un mot palpable, rond comme une orange, parfumé. On le croquait, on l'avalait, on le digérait, et on l'expulsait. Dès que son existence s'était trouvée menacée, elle l'avait rejeté, avec juste ce qu'il faut de soupirs et de larmes pour que l'arrachement *aussi* fût voluptueux. Mais si jamais elle ne regretta son acte, toujours elle regretta la fraîcheur des petites lèvres sur sa joue, le frôlement de la peau de satin contre la sienne, la douceur de la chevelure au bout de ses doigts. Elle avait pris Athos comme on se console de la grive avec le merle. C'était une absence moins vide que le néant.

VII

Le déjeuner avec Rémy, dans la pizzeria de la rue des Abbesses, fut une fête, de l'esprit seul, car la nourriture, comme dans tous les établissements de ce genre, était juste mangeable. Nous ne fréquentions d'ailleurs l'endroit qu'à cause de sa proximité avec le domicile de mon ami, chez qui je logeais à chacun de mes séjours parisiens.

Depuis plus de trente ans, nous connaissions l'un de l'autre ce qu'on peut raisonnablement connaître de quelqu'un. Nous évitions les motifs de friction et avions mis au point un système de communication qui aplanissait les malentendus. Nous nous taquinions avec une franchise qui nous permettait de tout dire sans le dire vraiment. Cette gymnastique de saine alacrité fortifiait notre amitié, lui faisait des muscles.

Ce jour-là, Rémy était en verve. Désireux de me distraire, il faisait feu de tout bois. Ayant remarqué dans l'œil de mon double une lueur d'excitation, j'en remettais pour attiser cette petite flamme de fièvre et de malice.

L'enfant avait toujours aimé Rémy, dont l'ironie l'amusait. Mais si l'humour était son mode d'expression habituel, il arrivait, au détour de la conversation, que le ton de mon ami changeât. Sans jamais devenir grave, il se faisait sérieux, et j'étais chaque fois surpris de l'acuité de ses jugements.

51

« J'espère, dit-il au dessert, que tu t'abstiendras d'écrire un livre sur la mort de ta mère.

— Je n'en suis pas encore là.

— Avec les Espingoins, je me méfie. Leur humour me fait peur.

— Cervantès était espagnol.

— Si vous ne l'aviez pas, celui-là, je me demande ce que vous feriez.

— Il y en a d'autres, les picaresques.

— J'ai raison de me méfier. L'ironie de l'horreur, merci bien.

— Tu étais mort de rire au *Cochecito*.

— C'est fait par un Italien.

— Le film a tout de même quelque chose d'espagnol, tu ne trouves pas ? Tu as ri aussi avec Almodovar.

— Tu es bien sûr qu'il s'agit d'un Espagnol ?

— La mauvaise foi a des limites. Tout de même, je te rends un point : je m'amuse comme un fou, depuis ce matin.

— Ça m'a tout l'air d'être désopilant en effet, la rue des Archives...

« Je te conseille néanmoins d'abréger. Les meilleures plaisanteries sont les plus courtes. »

La conversation dévia. Je décrivis à Rémy le spectacle que j'avais découvert, lui parlai de Félix, de Marie-Louise, d'Athos. Il m'écouta sans broncher. Il montrait rarement ses sentiments, sauf de biais, par une boutade. Mais une lueur d'inquiétude obscurcissait sa prunelle.

Il avait aperçu Candida une seule fois, alors qu'elle sortait d'un taxi devant le lycée Jacques-Decour, où je lui avais fixé rendez-vous dans l'appartement du proviseur, un oncle de Rémy. Il gardait l'image d'une petite femme boulotte, enveloppée dans un manteau de fourrure, qui marchait la tête haute.

Nous avions choisi ce lieu neutre pour une ultime explication. Chacun d'un côté de la table, nous nous observions en silence. Je tenais ma main posée sur le dossier. Je lui déclarai que, au cas où elle poursuivrait ses machinations et ses calomnies, je déballerais tout. Ma patience était à bout.

Avant de me répondre, elle tourna la tête en tous sens, inspecta le décor.

« Je suis sûre qu'il y a des micros cachés dans la pièce. »

Le fait qu'un pareil soupçon eût traversé son esprit m'en apprenait davantage sur elle que de longs discours. Son propos révélait aussi la cause de son acharnement contre moi. Jamais encore, je n'avais mesuré à quel degré de haine la peur peut conduire. Surtout, j'avais été frappé par son ton, dur et dédaigneux. Elle faisait front, hautaine telle que la montrent la plupart de ses photos, sans un sourire, le regard étrangement grave, presque triste. J'ouvris le dossier, montrai les photos, les lettres, la liste des noms et des lieux, avec leurs dates.

« C'est toi ? dit-elle en pointant l'index sur une photo. Je te reconnais, malgré ton crâne tondu et tes oreilles décollées. Qui est l'autre, le grand blond ?

— Un ami allemand. Il est mort en 1944.

— Je n'aurais jamais pensé que tu retiendrais tous ces noms. Tu étais si petit. *Ils* t'ont quand même laissé la vie sauve.

« Je partirai, dit-elle soudain d'une voix posée. Je quitte la France. Tu n'entendras plus parler de moi, sois tranquille. Je te demande d'oublier... ces torchons. »

Elle se leva, prit son sac, sur la table, ramassa ses gants.

« Il est quand même triste d'en arriver là, tu ne trouves pas ? Nous nous sommes furieusement aimés. Tu te souviens de cette clinique où j'ai été opérée d'une péritonite, à Madrid ? Tu avais trois ans et demi. Tu hurlais dans le couloir, tu sanglotais, tu criais : " *Mamita, Mamita !* " Il y avait un homme devant la porte, très grand, blond-roux. Il t'a pris dans ses bras, t'a porté jusqu'à mon lit. C'était Avelino, Nino, le seul homme que j'aie jamais aimé. C'est lui qui avait déniché cette clinique clandestine, dirigée par l'un de ses cousins, un chirurgien franquiste.

— Tu étais républicaine.

— Laisse donc ces niaiseries ! Je n'ai jamais été qu'une femme. Tous mes parents, toutes mes relations étaient pour Franco. À ce moment-là, j'aurais aussi bien pu basculer de leur côté. J'y avais ma niche.

— Pourquoi ?

— Pourquoi, pourquoi, tu poses toujours des questions, comme si la vie se faisait à coups de questions et de réponses ! Appelle ça le destin et n'en parlons plus. J'avais de vagues, très vagues sentiments républicains, à cause surtout de la loi sur le divorce. J'espérais encore épouser Nino.

— Il y avait mon père.

— Il était reparti en France, je savais qu'il ne reviendrait pas. Et puis, j'avais peur.

— Tu n'as jamais eu peur de rien.

— D'abord, tu n'en sais rien. Ensuite, je n'ai pas peur du danger, mais j'ai peur de l'inconnu. Le danger se maîtrise, l'angoisse, non. Tu n'imagines pas ce qu'était l'époque.

« Nino vivait caché en plein Madrid, à deux pas de chez nous, déguisé en ouvrier, comme tous ceux de sa caste. Son frère a été découvert, on l'a tué sous les yeux de sa mère, qui est morte d'une crise cardiaque. Quant à moi, j'ai fait une folie, comme j'en ai tant fait dans la vie. C'était après l'assassinat de Calvo Sotelo, le chef du parti monarchiste. Des gardes républicains l'ont cueilli à son domicile, devant sa femme et ses enfants, l'ont traîné à la porte du cimetière, abattu d'une balle dans la nuque. Je le connaissais, lui et sa femme. J'ai écrit à son frère, une de ces lettres comme il m'arrive d'en écrire. Manque de pot, le meurtre a précipité le soulèvement militaire. On a, bien sûr, retrouvé ma lettre, on est venu m'arrêter, on m'a jetée en prison, accusée de sympathies franquistes. Tu m'as rendu visite avec ta grand-mère.

— Tu m'as donné deux petites poupées de laine. L'une était noire, avec des yeux rouges.

— C'est bien vrai que tu as de la mémoire! dit-elle en me fixant avec une curiosité admirative. Au fond, tu as toujours été adulte.

« C'était pile ou face, reprit-elle. Chaque nuit, on sortait une fournée. On ne savait jamais si on serait ou non sur la liste. On a beau avoir les nerfs solides : c'est éprouvant. J'ai été longuement interrogée : je suis ressortie républicaine.

— Nino? demandai-je, tentant de la suivre.

— Je l'avais retrouvé à la fin de 35, alors que l'orage menaçait. Ton père venait de rentrer en France, j'étais seule avec toi.

— Il n'avait personne dans sa vie?

— Lui? Tu plaisantes! Il n'a aimé qu'une femme : moi.

— Pourquoi ne l'as-tu pas...?

— Encore des pourquoi! Nous avions essayé de vivre ensemble, nous avons même... Passons. Il jouait, buvait, il me frappait. Au début, j'aimais ça. Enfin, je me racontais que j'aimais ça. Ensuite, je me suis lassée. À chaque moment difficile de ma vie, c'est pourtant vers lui que je me tournais. C'était un magnifique vaurien, invivable et inoubliable.

« Tu n'es pas vraiment de chez nous. Tu ne peux pas comprendre. Un *señorito extremeño*, un de ces fils à papa qui ne fichent rien, ce qui s'appelle rien, sauf courir les filles et les bars. Drôle, impertinent, d'un machisme naïf...

« Je ne sais plus pourquoi je te parle de tout ça. Je ne veux pas t'attendrir. J'ai les apitoiements en horreur. Je

55

m'arrangerai avec ma propre vie. Seulement, c'est peut-être la dernière fois que nous nous voyons.

— Tu n'as pas arrêté de me traîner dans la boue, tu inventes...

— Je sais, dit-elle d'un ton sec. Je suis peut-être bien un peu folle, remarque. Quand je regarde les autres, autour de moi...

« La vérité, reprit-elle après une pause, c'est que je ne supportais pas de te revoir devant moi.

— Cela ne justifie pas.

— Qui parle de justification ? Je suffis à me justifier moi-même, rétorqua-t-elle avec hauteur.

« C'est plus bête que ça, mon petit. Je te vois et je me vois en toi, telle que je me suis défaite. Je ne supporte pas cette image que tu me renvoies, tu peux comprendre ça ?

— Oui, je crois.

— Il ne s'agit pas de remords, ni même de regrets. Ce qui a été fait est fait. Seulement à cause de toi, ça dure, ça n'en finit pas de durer.

« Bon, dit-elle d'un ton plus vif, il faut que je rentre. Félix doit déjà s'impatienter, il s'inquiète toujours, il veille sur moi comme un toutou. »

J'effleurai sa joue, la raccompagnai jusqu'à la porte. Sur le trottoir d'en face, Rémy guettait sa sortie. Je ne saurai jamais ce qu'il a retenu de cette affaire sordide, ni même s'il y a prêté attention. Rien ne lui est plus étranger que cet univers de mensonges et de trahisons. Il se tenait auprès de moi, tout simplement.

C'était l'automne 1962. Trente ans avaient passé. Nous nous retrouvions, vieillis, autour d'une table, buvant un café, et nous parlions toujours de Candida. Rémy devait penser que cette fin d'apocalypse correspondait à tout le reste.

À mes côtés, l'enfant nous écoutait avec une attention passionnée. Il ne possédait qu'une partie de l'histoire, d'ailleurs courte — neuf ans. Il s'était toujours demandé ce qu'avait pu être l'avant, la suite. Il rassemblait les épisodes, les mettait bout à bout. Je lui faisais la mémoire qu'il n'avait pas. Les coudes sur la table, le menton entre ses paumes, il rêvait de Nino. Il avait toujours admiré le courage de la jeune Candida, qui abandonnait, à dix-sept ans, son mari et son fils pour suivre cet amant, défendait bec et ongles sa liberté, tenait tête à sa famille, à son milieu. Il regrettait seulement que la belle aventure se terminât mal.

C'est à ce moment-là, en le regardant penché vers nous, l'air attentif, que je décidai de l'émanciper et de lui donner un nom. Il s'appellerait Xavier, comme ses deux grands-pères, paternel et maternel. Je sus que ce prénom lui plaisait. Nous étions réconciliés, nos brouilles ne durent jamais. Il avait surtout paru satisfait de m'entendre évoquer Athos. Il s'était imaginé que je n'avais pas saisi la résonance en nous de ce nom. Parfois, il me croit plus stupide que je ne le suis, ce qui me vexerait, si je le connaissais moins bien. Il me reproche d'habiller de phrases ses impressions ineffables. Il s'imagine qu'il rêvasse dans le vide. Il semble ne pas comprendre que même son silence est tissé de mots, irisés et légers comme des bulles, mais liés et reliés. Le véritable silence, c'est la mort — celle du corps ou celle de l'esprit.

VIII

Nous descendions la rue des Martyrs et nous apprêtions à tourner à notre droite, en direction de la station Pigalle, lorsque Xavier me tira par la manche. L'index pointé, il m'intima l'ordre de continuer tout droit. Il avait un air si résolu que je faillis pouffer de rire. D'un pas martial, il traversa le boulevard, attendit que le feu passât au vert, reprit la même rue, sans ralentir ni se retourner, certain que je le suivais. L'expression de son visage avait vraiment quelque chose de comique.

Malgré son apparente docilité, Xavier a été un enfant capricieux et, si on lui résistait, boudeur. Dans les restaurants, il commandait des plats auxquels il refusait ensuite de toucher ; il exigeait les jouets les plus coûteux, qu'il laissait traîner n'importe où, quand il ne les offrait pas à des enfants croisés dans la rue. Lorsque la fantaisie le prit d'avoir un chien, ce fut toute une histoire. Aucun des arguments avancés par Candida ne parvint à le détourner de sa lubie. Il pleura, trépigna, cria, tant et si bien qu'il eut son pékinois. Il emmenait Kiki partout avec lui, au cinéma comme à l'opéra, caché dans son veston. Il faillit le noyer en le plongeant dans la baignoire sous prétexte de le laver. Lui, par ailleurs si raisonnable, se montra, en cette circonstance, intraitable. Il n'ignorait pas que la photo de Candida était exposée aux portes des commissariats. Il eût risqué nos vies plutôt que de renoncer à son caprice. Sous bien des aspects, mon double avait une tête à claques. Candida lui passait toutes ses fantaisies ; il la menait par le bout du nez, intervenait même dans le choix de ses amants. Ils formaient un vrai couple, se boudaient, se chamaillaient pour mieux se réconcilier.

On lui pardonnait ses fâcheries et ses colères parce qu'il savait se montrer d'une délicatesse et d'une sensibilité presque inquiétantes. Croisait-il un mendiant dans la rue, il s'arrêtait, foudroyé de stupeur, fondait en larmes. Il ne pouvait pas non plus apercevoir un chat efflanqué sans se précipiter vers lui. S'il avait disposé d'une maison et d'un jardin, son rêve le plus lancinant, nul doute qu'il aurait recueilli toutes les bêtes abandonnées.

La même obstination dont il faisait preuve pour obtenir ce qu'il voulait, il la mettait dans ses lectures, procédant avec une méthode et une rigueur stupéfiantes chez un enfant si jeune. De chaque auteur qu'il découvrait, il établissait une bibliographie afin de se procurer ses autres ouvrages. Il soulignait les passages qui le frappaient, relevait les mots inconnus pour en chercher le sens dans son dictionnaire. À le voir assis près d'une fenêtre, les épaules courbées, penché au-dessus d'un volume, on aurait dit un vieillard studieux.

Sa conversation était tout aussi sérieuse et, dans les restaurants, les clients s'arrêtaient de manger pour écouter ce petit bonhomme aux longs cheveux ondulés, au regard cajoleur et au sourire toujours ouvert, qui discutait avec gravité de Verdi ou de Balzac. Il se montrait d'une curiosité inépuisable, posait mille questions, écoutait avec recueillement. Il aimait vraiment les gens, non l'humanité dans son abstraction idéale, mais chaque personne, en chair et en os. Il les regardait avec une confiance désarmante, allait vers elles, leur adressait la parole. Il leur racontait ses petits secrets, leur parlait de l'Espagne où, disait-il en écartant les bras, « *poussent des bananes longues comme ça* ». Quelqu'un le rabrouait-il, il semblait stupéfait, puis il repartait, les épaules courbées, avec un dandinement comique.

Je n'arrive pas à comprendre comment il a pu traverser la guerre et ses horreurs. Peut-être son besoin d'affection et sa capacité d'amour l'ont-ils consolé en détournant son attention vers des regards plus humains, de sourires plus généreux ? Je pense souvent à ce qu'il a dû ressentir le jour où Candida l'a quitté à jamais sur ce trottoir du boulevard Haussmann. J'imagine sa sidération. Le plus incompréhensible à mes yeux, c'est qu'il ne lui en a jamais voulu de l'avoir assassiné. Il n'a pas cessé de guetter un geste, d'attendre un élan, d'espérer un mot. Il a beau se répéter qu'elle était méchante : il n'a jamais réussi à s'en persuader. Croit-il seulement à la malignité et à la cruauté humaines ? Malgré tout ce qu'il a vu et subi, il conserve un fond de candeur et, même, de naïveté. Il y a en lui une pureté qu'aucune bassesse n'atteint.

Je le regardai se diriger vers l'une de ces drogueries poussiéreuses comme on en trouve encore quelques-unes à Paris. Je l'y suivis, intrigué, et, sans la moindre hésitation, il me montra, l'un après l'autre, les articles que je devais acheter. Il avait pensé à tout, aux poubelles de grande capacité, renforcées, aux bombes contre les cafards, aux désinfectants hospitaliers, aux bougies parfumées. Je n'eus qu'à suivre ses indications. À la fin, nous avions de quoi purifier l'atmosphère de Paris, désinfecter tous les hôpitaux de la ville, parfumer des immeubles entiers, shampouiner des centaines de chats et de chiens, vernir des kilomètres de parquet, rénover toutes les moquettes des tours de la Défense.

Xavier semblait ravi de nos emplettes, comme s'il se fût agi d'une farce. Encore sous l'effet de mon repas euphorisant avec Rémy, j'étais décidé à céder à tous ses caprices, même les plus farfelus.

Xavier s'amuse de cette mort invraisemblable. Non qu'il

ignore ce que mourir veut dire, ni quelle réalité hideuse le mot désigne. Simplement, il trouve que cette fin grotesque et magnifique s'accorde avec le personnage de Candida, tel qu'il l'a rêvé dans sa petite enfance.

Gorgone aux yeux implacables, majestueuse souveraine de l'ombre, ne serait-ce pas sa puissance de destruction qu'il vénère en cette Kali sanguinaire ? Sans doute ne me facilite-t-il pas la besogne en jetant sous ma plume cette figure mythique. J'aurais de beaucoup préféré me confronter à une créature moins imposante. Mais les enfants aiment les monstres, les plus affreuses sorcières, les ogres aux crocs de loup.

J'étais maintenant prévenu de ce qui m'attendait : j'allais jouer les techniciens de surface, cet euphémisme. Je passerai mes jours à frotter, laver, rincer, désinfecter. En prévision de ma mission, je m'étais muni d'un bleu de travail, de gants jetables, d'un bonnet de marin. Ainsi déguisé, j'étais prêt à affronter la tempête.

Xavier avait raison : mieux valait en rire.

IX

Manifestement épuisé, Félix s'était assis sur le lit. La tête levée, il me regardait frotter les vitres — un rouleau de Sopalin par carreau, chaque morceau noir comme suie —, décrocher et tremper les voilages, les essorer, les retremper. Il ne cessait de jacasser, heureux d'avoir à qui parler. Il me suffisait de répondre par oui ou par non pour relancer la machine à souvenirs et à lamentations. Comme nombre de vieillards, Félix s'apitoyait sur lui-même, pleurnichait, avant de rebondir dans son enfance toulousaine.

Des images pâlies s'imprimaient dans mon cerveau : un foyer de trois enfants, deux filles et un garçon, dans une banlieue plantée de pavillons et de maisonnettes basses. Pas de père, une mère qui trimait de l'aube à minuit, lavant et repassant pour des familles aisées, qui payaient chichement, à la pièce. Bizarrement, de la bonne humeur, des rires, des chansons, notamment des airs d'opéra, qui lui revenaient à la mémoire et qu'il fredonnait d'une voix de baryton. Deux ou trois soirées au Capitole, événements mémorables. Aucun pathétique dans ces évocations d'un début du siècle pourtant dur aux pauvres. L'acceptation tranquille d'un ordre et d'une hiérarchie venus de l'Ancien Régime. Une ville, Toulouse, que Xavier comme moi connaissions bien et dont les images venaient se superposer à celles que Félix évoquait, les quais de la Garonne surtout, quand la lumière du crépuscule se fait courte et oblique et que la brique réfléchit cette lueur, entre rose et violet, avec des évanescences d'un vert délicat.

Une autre image, celle d'un gamin de douze ans, courant sur un quai de la gare Matabiau à l'arrivée du train de Paris, se courbant pour recevoir une énorme malle qu'il porte ensuite sur ses épaules. La pièce glissée dans la main de ce gosse déluré, toujours prêt à rire et à plaisanter. Pas non plus de récrimination, une certaine fierté même : celle d'avoir eu, si jeune, la force de supporter ces charges. Et Félix, son œil vide levé vers moi, d'émettre son bizarre gloussement, avec cette expression qu'il répète après chaque quinte de rire : « *C'est quand même quelqu'un ton beau-père, avoue ?* » Car la faconde toulousaine, cet heureux contentement de soi, revenait avec l'évocation de l'enfance et de l'adolescence, comme revenait le souci de la respectabilité. Pauvre, sa famille n'en était pas moins honorable avec, même, des ancêtres nobles du côté des Pyrénées. À cette distinction, il s'accrochait, répétait qu'il n'avait jamais été un ouvrier.

Avec plus de candeur encore, la faconde s'affirmait à l'adolescence, quand les filles commencèrent à tourner autour de ce solide gaillard, bâti en athlète — épaules larges, taille fine, longues jambes et mollets d'acier. « *Le vélo, ça muscle le jarret, tu comprends ? Regarde, même à mon âge, hé ?* » Trop de succès faciles, trop de gymnastique sexuelle : « *Les femmes, vois-tu, j'en ai eu tant et tant que j'en étais dégoûté. À la fin, ça ne me faisait pas plus d'effet que de gonfler un pneu avec une pompe à vélo.* » Et de mimer le geste, au cas où les mots ne suffiraient pas. Les soupirs de lassitude, entre deux récits : qu'il est dur de vieillir, on n'est plus bon à rien. Avant, il aurait déjà grimpé sur l'échelle, m'aurait arraché le papier des mains. Toutes ces années à jouer la bonne, l'infirmière, la garde de nuit : il se sentait vidé. Candida était cependant morte comme elle le voulait, près de lui, dans son intérieur, et il en retirait une consolation. « *Ma pauvre chérie !* » gémissait-il en se souvenant de la perte qu'il venait de faire.

Tout en frottant, récurant, vaporisant, je regardais Xavier qui, accroupi dans un coin, écoutait, bouche bée. Il aimait les époques révolues, les ombrelles et les calèches. Mais il était plus ému encore par ces vies humbles, d'un courage tranquille. Il voyait la foule des artisans et des repasseuses, qui flânait le long du canal, s'asseyait dans l'herbe, entonnait en chœur une chanson. Et de voir l'enfant heureux, perdu dans ses songes, me rendait joyeux. Je sifflotais en haut de mon échelle comme si, en lustrant les vitres, j'avais éclairci le monde.

Son premier mariage ? Une bêtise. Il avait tout juste vingt ans, elle n'était pas méchante, seulement idiote et légère. Ils avaient d'abord vécu à Montpellier où Marie-Louise était née. Entre-temps, il avait appris l'électricité, réglait les éclairages dans des cabarets, à Toulouse. Une sorte de machiniste, oui. Ce fut l'époque de la joyeuse bohème. Il fréquentait des artistes, des chanteuses, buvait le champagne. Quelques-unes de ces femmes voulaient même l'entretenir. Elles avaient le béguin pour lui. Ça ne lui disait rien. Toujours la même chose : *boum-boum !* Elles n'avaient que ça en tête. Il en avait rencontré des célébrités ! Mistinguett, Maurice Chevalier, il les avait tous connus. Ils aimaient bavarder avec lui, après le spectacle. Car il ne faudrait pas croire : s'il n'avait pas d'instruction, il était loin d'être bête. Ces vedettes d'ailleurs, quand on les voit de près, elles sont comme tout le monde.

La guerre, la seconde, survint. Séparé de sa femme partie vivre à Lyon, Félix se retrouvait dans les Ardennes, dans un bataillon de spahis. Aux premiers combats, en 1940, il gisait sous un tas de cadavres, un éclat d'obus dans la tête. Il crut sa dernière heure venue. On réussit néanmoins à le dégager ; les médecins le soignèrent avant de le confier à des psychiatres, qui voulurent l'interner chez les fous. Depuis, il fuyait et redoutait cette engeance. « *Ils te bousillent un bonhomme en moins de deux et puis, hop ! par ici la bonne soupe. Des jobards !* » Son salut, il en était sûr, il le devait à l'intervention de la Vierge à qui il avait fait vœu de retourner en pèlerinage sur les lieux. Il avait tenu sa promesse, avec Candida. Elle s'était énamourée du pays, de la forêt surtout. C'est pour cela qu'ils avaient acheté cette propriété, à cinq kilomètres de la frontière belge.

Il atteignit les trente-cinq ans, se retrouva dans le Paris de l'occupation et de l'immédiat après-guerre, où il reprit son métier d'éclairagiste. Il rencontrait Boris Vian, croisait Sartre et Juliette Gréco. Dans le quartier du Marais, il avait déniché un studio dans un entresol de la rue Portefoin, que je revis aussitôt, tel que je l'avais découvert en 1955. L'âge passant, il décida de faire une fin. Des charmes de la vie nocturne, des beuveries et des discussions définitives dans les cafés, Félix eut soudain assez. Par un ami, il obtint un emploi d'électricien en chef au ministère de l'Information.

Le récit fut interrompu par la sonnerie de la porte d'entrée et par les jappements d'Athos.

« C'est sûrement M. Martin, le voisin du quatrième. Il veut venir à l'enterrement. Je ne pouvais pas dire non, tu comprends ? Il a connu Vicky... enfin, ta mère. Mais ça me barbe. »

Un petit homme aux grandes oreilles se présenta, multipliant les salutations et les excuses. Il ne voulait surtout pas déranger, il avait sonné en passant pour proposer ses services, au cas où...

« Entrez, dis-je, voyant que Félix lui barrait le chemin avec une expression peu amène. Je suis ravi de vous connaître.

— Moi aussi, moi aussi, croyez-le bien. C'est un honneur, un très grand honneur. Ma femme vous lit, elle vous admire, elle sera ravie d'apprendre... »

Il s'inclina de nouveau tout en m'examinant de ses yeux minuscules.

« Excusez-moi, bredouillai-je en lui tendant le poignet. Je fais le ménage.

— Je comprends, je comprends... J'ai maintes fois proposé à madame votre mère de lui envoyer notre femme de ménage. Il me semble qu'elle ne désirait pas...

— Vous connaissiez ma mère ?

— Je ne l'ai rencontrée qu'une fois, une nuit où M. Félix n'arrivait pas à la soulever tout seul. Il était exténué et elle était... assez forte, n'est-ce pas ?

— Cent vingt kilos, je sais.

— Il s'était fabriqué une sorte de harnais. »

J'opinai de la tête et le regard du petit homme fureta dans l'appartement, sans rien apercevoir car Félix, l'air renfrogné, s'interposait toujours entre la porte et la salle de séjour.

« Il devait être autour de minuit lorsque M. Félix a sonné chez nous. Vous savez, ils vivaient repliés sur eux-mêmes, sans voir ni recevoir personne. N'eût été l'odeur — le chien, n'est-ce pas ? ils ne le sortaient jamais —, n'eût été cette odeur, on aurait pu croire que le logement était inoccupé. À peine ai-je croisé une ou deux fois M. Félix dans le hall d'entrée, devant les boîtes aux lettres. C'est un homme très discret.

« Il sonna donc pour demander de l'aide. Je vins aussitôt. Entre voisins, n'est-ce pas ?... Il parla d'abord à madame votre mère, qui sans doute... Il me poussa dans la cuisine, referma la porte. Vous êtes entré dans la cuisine ?... Tout est rouillé, pourri, il faudrait remplacer le frigidaire, la cuisinière, le four surtout, qui constitue un danger... »

Une fois encore, son petit œil me vrilla, se faufila vers le salon, et je sentis la colère monter chez l'enfant. Comment empêcher, lui dis-je, les gens de se montrer curieux devant un pareil spectacle ?

M. Martin guettait sur mon visage l'effet produit par ses propos. Je l'entendais déjà raconter à sa femme comment l'écrivain... L'opinion des autres me laissait indifférent. La mienne suffisait.

Je comprenais la rage de l'enfant. L'idée qu'on ait pu venir la voir, *elle*, comme si elle avait été un phénomène de foire, cette idée le révulsait.

« M. Félix m'a finalement introduit dans le salon et j'ai pu lui donner un coup de main... Je me demande encore comment il réussissait tout seul...

« Vous voyez, cher monsieur, que je ne peux pas prétendre que je la connaissais. Il s'est néanmoins produit un événement assez singulier. Nous nous sommes parlé un jour au téléphone à je ne sais quel propos, sans doute l'appartement, qu'elle avait un moment envisagé de vendre pour se retirer en Espagne, à Malaga, je crois bien. Nous avons une fille de vingt-sept ans, et nous avions pensé, ma femme et moi... Du reste, madame votre mère nous a assurés, dit-il très vite, qu'au cas où elle se déciderait à mettre le logement en vente, elle nous accorderait la priorité. Naturellement, tout est à refaire. Mais nous serions heureux d'avoir notre fille auprès de nous.

« J'avoue avoir été séduit par sa conversation, notamment, je m'en souviens, sur la politique. Madame votre mère avait des vues très pénétrantes et, je dirai, d'une audace certaine. À ma grande surprise, elle me rappela quelques jours plus tard, nous poursuivîmes notre discussion, toujours d'ordre général. Je lui passai ma femme avec qui elle causa par la suite assez souvent. Madame votre mère défendait des opinions matérialistes alors que ma femme est spirite et un peu voyante. Elles s'affrontaient sur ce point, toujours avec courtoisie.

« On ne peut non plus dire que nous étions des étrangers, d'où mon souhait, si cela ne vous dérange pas...

— Pas le moins du monde, je suis touché.

— J'ai été la dernière personne à qui elle ait parlé, trente-six heures avant sa mort. Nous partions, ma femme et moi, comme chaque week-end, dans notre maison de campagne, près d'Auxerre. Le vendredi soir, le téléphone a sonné. Votre mère s'exprimait difficilement, son élocution était devenue pâteuse. Néanmoins, le cerveau fonctionnait toujours et je peux vous répéter ses propos, mot pour mot : " *J'arrive au bout du voyage. Si je trouve quelque chose de l'autre côté, je vous le ferai savoir.* " Ma femme a été vivement impressionnée et nous avons hésité à partir. Comme il y avait déjà eu d'autres alertes, nous avons pensé que rien ne se produirait avant notre retour, prévu pour le lundi. Le dimanche, vers cinq heures de l'après-midi, ma femme a eu un pressentiment, cela lui arrive assez souvent. Nous avons quitté Auxerre aussitôt. En arrivant à Paris, nous avons appris que madame votre mère était morte vers quinze heures trente, au jour qu'elle avait fixé... »

Nous avions écouté en silence le récit du petit homme, qui prit congé de nous après avoir renouvelé ses condoléances et proposé à nouveau ses services ou ceux de sa femme de ménage. Avant que je pusse répondre, Félix avait décliné son offre et M. Martin s'inclina cérémonieusement.

Xavier paraissait assommé. Sa bonne humeur s'était envolée. Peut-être n'avait-il pas vu que Candida était devenue cette énorme chose répandue dans son fauteuil. Il avait fallu le regard du petit homme aux grandes oreilles pour que l'enfant matérialisât la vision. Il restait planté devant moi, les bras ballants, avec, dans les yeux, une expression de stupéfaction.

« Sortons, dis-je avec un faux entrain, il est temps de dîner. »

X

Avant de partir, je voulus passer par la salle de bains pour me rafraîchir. À peine eus-je entrebâillé la porte que je reculai, renonçant à me laver. Je le ferai chez Rémy. En attendant, je me rendrai aux toilettes du restaurant. Je me retournai alors pour contempler le résultat de mes efforts.

Une vague de découragement s'abattit sur moi. La fatigue de ces heures de nettoyage forcené coulait du plomb dans mes os, ma colonne vertébrale me faisait souffrir. Avec dégoût, je respirai la puanteur âcre et fétide, persistante malgré les vaporisations, fumigations et autres encens. Ces nuages de parfum semblaient la retenir, au contraire, lui conférer une densité brumeuse, qui stagnait, alourdissait l'atmosphère. Je pensai que jamais je ne viendrais à bout de cette crasse, que cette pestilence finirait par imprégner ma peau, par s'insinuer dans mes rêves ; qu'elle me poursuivrait partout, jusqu'à la fin de mes jours. Je me vis avec les yeux de Rémy ; j'imaginai sa réaction devant un tel spectacle.

Alors que nous nous séparions devant la pizzeria, j'avais lu dans son regard sa réprobation de me voir repartir rue des Archives. Il savait que je n'aurais pas pu faire autrement, mais, par affection pour moi, il aurait voulu me détourner de ce décor lugubre. Je pouvais d'autant moins lui reprocher sa réaction que j'avais eu la même. Je m'étais promis de ne pas répondre à l'appel de Félix, quand l'heure sonnerait. Pourtant, je me retrouvais là, titubant de fatigue, le cœur au bord des lèvres, les yeux remplis de larmes qui ne déborderaient jamais. Était-ce bien moi qui, malgré toutes mes résolutions, avais filé vers Paris dès l'annonce de la nouvelle ? Je savais qui, en réalité, conduisait cette danse macabre et j'en voulais à Xavier de m'avoir entraîné dans cette ronde. Depuis toujours, il guidait mes mouvements, débordait mes défenses, contournait mes raisonnements. À cet instant, j'aurais pu l'assommer, l'étrangler, le couper en morceaux.

Mon regard croisa celui de l'enfant, debout près de la porte. Ses bras maigrichons collés à son torse, sa tête penchée sur son épaule gauche, il avait un air si démuni, si misérable, si résigné déjà à ce que je le laisse tomber que ma colère s'évanouit d'un coup. Je fus envahi d'un sentiment de compassion et de tristesse déchirantes. Je lui fis un sourire auquel il voulut, sans succès, répondre. Je m'aperçus alors qu'il pleurait. De grosses larmes couraient sur ses joues, mouillaient ses lèvres, et il les léchait du bout de la langue. Je tendis la main, caressai ses cheveux : « *Tu es un vaillant petit soldat*, lui dis-je. *Tu as bravement résisté à tout. Tu ne vas pas abdiquer maintenant ? Ne t'en fais pas pour moi. C'est juste un moment de découragement, dû à la fatigue. Je tiendrai le coup. Nous nettoierons toute cette merde, nous chasserons cette puanteur. Nous laisserons les lieux propres et rangés. N'est-ce pas ce que nous faisons depuis cinquante ans, un ménage méthodique ?* »

Nous allâmes dans un restaurant voisin où j'avais plusieurs fois mangé avec Candida. En revoyant le bar, au rez-de-chaussée, son zinc, ses rampes de cuivre, l'enfant marqua un léger arrêt. Il leva la tête, compta dans sa tête les six marches qui montaient à la grande salle de l'entresol, avec ses hautes glaces, ses tentures d'un rouge vineux, sa lumière tamisée. Il la revit, *elle,* assise sur la banquette du fond, une flûte de champagne devant elle, la fourrure sur les épaules, avec cette manière de lever très haut le menton et de retrousser la lèvre supérieure pour sourire.

Il s'avançait très raide, sentait ses entrailles se tordre et se nouer alors que ses lèvres glissaient sur la joue enduite de poudre de riz. Elle parlait, mais il entendait ses phrases résonner dans une brume qui étouffait les sons. Il souriait machinalement, répondait par monosyllabes, secouait la tête. Les secondes, les minutes n'en finissaient pas de couler. Il restait immobile, comme paralysé. Avec désespoir, il pensait que c'était, une fois encore, loupé. À chaque rendez-vous, il venait avec l'espoir qu'un mot véridique, un geste rompraient enfin le sortilège. Le cri qu'il eût voulu jeter : « *Mamita !* », ce sanglot s'étouffait dans sa gorge. Il la regardait s'enliser dans des justifications oiseuses, s'embourber dans une plaidoirie fumeuse. De quoi et contre qui se défendait-elle avec tant de maladresse ?

Candida, qui se trouvait en territoire conquis, plaisantait avec les serveurs, bavardait avec la patronne, une Alsacienne à l'accent rugueux.

C'est elle qui nous accueillit, salua Félix, le consola par des banalités. Elle nous guida vers *sa* table, rappela combien Mme Victoria était généreuse, élégante, une grande dame. Un peu forte, certes, mais elle portait ses kilos avec panache, toujours sur son trente et un, coiffée, maquillée, parfumée. Une solide fourchette aussi. Elle appréciait les bonnes choses, le homard surtout, et son champagne, jamais frappé, ça le casse net. Serviable avec ça : elle avait donné des cours d'espagnol à sa fille, pour son bachot. Tout en bavardant, elle dardait sur moi un regard lourd de reproches. J'étais le fils indigne qui avait laissé sa vieille maman mourir seule. Un imposteur qui signait de son nom les livres que cette malheureuse, trop naïve et trop bonne, écrivait à sa place. J'aurais pu dérouler tout le disque. Je me demandai comment arracher l'enfant à son cafard. Peut-être une histoire le distrairait-il ? Il n'avait jamais pu résister aux contes, à ceux, surtout, qui ont l'apparence de la réalité. Le fantastique l'ennuyait, non qu'il le jugeât invraisemblable, mais parce qu'il le trouvait inutilement alambiqué dans ses élucubrations. Le vrai fantastique se cachait pour lui dans le quotidien le plus banal. Il ne se lassait pas d'entendre les gens évoquer leurs souvenirs.

J'interrogeai donc Félix :

« Comment vous êtes-vous connus, Candida et toi ? »

Il recracha de gros morceaux de viande mâchée dans son assiette, balbutia des excuses, essuya son pantalon. (Il voit mal, distingue à peine le bout de sa fourchette.) Il but une gorgée de vin, se renversa, l'air satisfait. Il redevint toulousain, son œil (le bon), s'alluma, il émit son rire bizarre.

L'y voici, en 1948, alors qu'il traverse l'antichambre du ministre de l'Information — peut-être bien Mitterrand, il vérifierait —, une échelle à l'épaule. Faraud, il toise la foule des visiteurs et des quémandeurs, entre sans frapper, ressort un quart d'heure après, toujours content, l'air avantageux. Assise sur une banquette, Victoria l'a vu passer, l'a probablement jaugé. Là-dessus, le lecteur peut nous faire confiance, à mon double et à moi : nous savons de quoi nous parlons. Nous ne nous offusquons d'ailleurs pas de sa liberté, au contraire. Quand un homme attirait son regard, elle ne faisait pas de manières et allait droit au but, sans se perdre en préliminaires. Au premier coup d'œil, elle décelait la faille, visait le point faible dans la cuirasse. Là, ce fut la vanité candide, la pureté toulousaine. Elle plaisanta donc : décidément, il y en a qui ont toutes les chances ! Là où d'autres poireautent pendant des heures, eux, ils passent ! Il s'est arrêté, flatté. Toulouse aime la plaisanterie bon enfant :

il rétorque que, oui, c'est comme ça, lui entre à toute heure. Il peut même déranger le ministre.

Deuxième temps : à la cantine du ministère. Une semaine a passé. Elle l'a vite repéré, s'installe à sa table, noue la conversation. Elle arrive de Limoges où elle travaillait à la radio. Elle n'en peut plus de cette ville sinistre, des cancans, du climat surtout. Le froid. Depuis son internement à Rieucros, un camp, oui, près de Mende, en Lozère, elle ne supporte plus le froid. Elle s'enrhume au moindre courant d'air. Ce qu'elle faisait à Limoges ? Les hasards de l'existence ou bien le destin, à chacun ses mots. Elle rentrait d'Alger où elle était journaliste. Un homme politique de ses amis l'avait fait entrer à la R.T.F. et lui avait déniché un poste à Limoges, en attendant de la caser à Paris. Au lendemain de la Libération, elle avait eu le tort de s'attarder en Algérie. À son arrivée, toutes les places étaient prises et les résistants de la vingt-cinquième heure paradaient dans les couloirs. Elle n'avait jamais su conduire ses affaires. L'ambition réclame des efforts qu'elle se sent incapable de soutenir. Et puis, à quoi bon se battre quand on est une femme seule et qu'on a perdu ce à quoi on tenait le plus au monde ? Un petit garçon de neuf ans, disparu en Allemagne. C'est lui, oui. Son portrait ne la quitte jamais, elle ne peut s'empêcher, à toute heure, de toucher son image comme pour... Mariée ? Si peu ! Les hommes ne valent pas cher et le courage n'est pas leur principale qualité. Enfin, il faut faire avec, comme a dit quelqu'un, sûrement un imbécile, car ce qui importe, c'est de faire sans. Mais lui, avec ses entrées chez le ministre et son physique d'acteur de cinéma, pourquoi ne lui parle-t-il pas de lui ? Qu'est-ce que ça veut dire, ouvrier ? Dans sa vie, elle a rencontré des avocats stupides et des menuisiers supérieurement intelligents, des médecins véreux et des balayeurs honnêtes. « *Chacun est fils de ses œuvres* », a écrit Cervantès qui, lui, n'était pas un imbécile.

74

L'affaire est emballée, il reste à nouer la ficelle. Elle écoute avec cet air ébloui qu'elle prend devant les hommes. Comment Félix n'aurait-il pas succombé à ses grands yeux éloquents qui lui murmurent qu'il est un personnage exceptionnel ? Une femme de cette sorte, élégante, d'une culture et d'une intelligence qui le flattent, parée de malheurs éclatants, une telle femme, il n'en a jamais rencontré. D'une beauté altière, malgré ses rondeurs, qu'un Toulousain ne craint pas, au contraire. À quarante-quatre ans (trente-neuf pour lui), la peau garde son élasticité. Du reste, elle rit souvent, et avec quelle denture ! S'ajoutent les coïncidences, évidemment mystérieuses : ils ont le même âge, à un mois près, tous deux de 1912, n'est-ce pas drôle ? Ils possèdent encore en commun une expérience malheureuse, la même défiance pour le sexe, cette routine fastidieuse.

Candida ne ment pas. Elle est sincère dans son désir comme dans son calcul, qui se rejoignent. Elle se trouve à un tournant de sa vie, désemparée, seule, sans appui. Elle ressent le besoin d'une épaule solide, d'une tendresse enfin sûre, d'un esprit assez généreux ou assez naïf pour ne pas relever ses contradictions, ni fouiller dans son passé. Or, Félix possède ces deux qualités : généreux jusqu'à la folie, naïf au point de ne pas voir ce qui crève les yeux.

XI

L'écrivain s'était longtemps demandé ce qu'une femme comme elle avait bien fait à Limoges, ville assurément superbe, hospitalière, mais où une personnalité telle que Candida ne risquait pas de passer inaperçue. Il se posait la question avec la curiosité des romanciers, qui aiment connaître les lieux où leurs personnages vivent. Quand bien même ils ne décrivent plus les décors, ils ressentent toujours le besoin de les comprendre, persuadés qu'une affinité mystérieuse existe entre un endroit et celui qui l'habite. Vers 1960, j'avais raccompagné quelqu'un à Limoges et, traversant la ville, la question n'avait pas cessé de me poursuivre. J'eus beau respirer les odeurs, m'attabler aux terrasses des cafés, flâner dans les rues : je ne sentais pas la nature du lien qui avait pu attacher à cette ville une femme de son espèce. J'y retournai plusieurs fois, avec toujours la même perplexité. Quelque chose ne *collait* pas. Malgré tout, j'en étais sûr, ce lien existait et il devait être, non pas fortuit, mais nécessaire, rattaché au récit par une logique mathématique.

Le premier indice me fut fourni à Pau, dans un centre culturel où je signais mes ouvrages. Un homme grand, distingué, encore séduisant sous sa chevelure blanche se détacha de la foule, les larmes aux yeux. Il rêvait depuis longtemps de me rencontrer. Il n'avait jamais osé m'écrire,

76

de peur de m'importuner. Il avait bien connu Victoria, pendant la guerre. Il l'avait même hébergée avec sa femme, décédée depuis, dans leur villa d'El-Biar, à Alger. Elle avait vécu sept ou huit mois chez eux, il n'aurait su dire précisément. À cette époque, 1944, la ville était bondée à cause de l'afflux des réfugiés ; pour avoir un logement, il fallait un bon d'hébergement. C'est ainsi qu'elle avait débarqué chez eux, avec sa magnifique chevelure de jais, son regard éloquent, son sourire tout en blancheur.

Elle travaillait pour plusieurs journaux et parlait à la radio. Il se rappelait qu'elle avait été chargée d'organiser la soirée de gala en l'honneur de la visite d'Eisenhower. Un spectacle éblouissant, avec une troupe de danseurs espagnols, des chanteurs de flamenco, des acteurs qui récitèrent des poèmes de Lorca et de Machado et, pour finir, les vers d'Eluard, *Liberté*. Des moments inoubliables auxquels, grâce à Victoria, sa femme et lui assistèrent. Tout le gratin politique se pressait dans la salle, y compris le général de Gaulle, ce qui voudrait dire que cela se passait avant le débarquement. Il avait conservé le programme, qu'il m'enverrait en souvenir.

Oui, elle vivait seule chez eux. Enfin, oui et non, il y avait un homme dans sa vie, un ingénieur. Un type très calé dans sa branche, l'acoustique appliquée aux systèmes de détection dans l'aviation, mais que sa femme trouvait indigne de Vicky — tous ses amis lui donnaient ce diminutif. Effacé, fruste, sans allure ni distinction. Il se tenait toujours en retrait, enfermé dans un mutisme qui créait un bizarre malaise. Le contraire de Vicky qui, même si elle trimait dur pour joindre les deux bouts, s'imposait au premier regard par son maintien, sa culture. On sentait qu'elle avait eu une éducation raffinée. Le bonhomme était marié à Limoges, *d'où il était originaire*. Sa femme taquinait Vicky, lui répétait qu'elle pouvait trouver mieux que ce paysan taciturne. Non, elle ne se fâchait pas. Elle riait. Le nom de l'homme ? Crouzac ou Crousset, il n'en était pas sûr. Nous échangeâmes nos cartes, promettant de nous écrire et de nous revoir. Je lus son nom : Patrice Debart, ingénieur.

Il s'éloignait déjà lorsqu'il revint vers moi : il avait oublié un détail, l'une des plus intimes amies de Vicky à Alger vivait encore, à quelques kilomètres de mon domicile, au nord de Montpellier. Il me donna son nom, Mathilde Flaiche.

Mme Flaiche ne m'apprit pas grand-chose, hormis cette précision : le compagnon de Victoria s'appelait bien Pierre Crousac et il était *natif de Limoges,* où sa femme et ses deux enfants résidaient. Elle ne le jugeait d'ailleurs pas aussi falot que Patrice Debart le prétendait. Taciturne, certes, mais pas sot. Aucunement fruste, épais, d'une force concentrée. Énigmatique, comme habité par un secret.

Nous buvions le thé dans la grande salle du mas, perdu dans la garrigue ; des sarments de vigne brûlaient dans la cheminée ; c'était l'automne et la campagne embaumait la vendange. Au sujet de Pierre Crousac, un incident bizarre lui revenait en mémoire. M. Flaiche, mort depuis, dirigeait alors les services de sécurité des bases aériennes militaires en Afrique du Nord, depuis le Maroc jusqu'en Algérie. Il avait voulu embaucher Crousac, qui était un spécialiste des systèmes de détection acoustique. Or, des agents de la D.S.T. lui avaient déconseillé de prendre le compagnon de Victoria. Ils n'avaient fourni aucune précision et M. Flaiche n'en avait plus reparlé. Elle-même n'avait attaché aucune importance à cet incident qu'elle croyait sorti de son esprit. Elle n'était pas particulièrement liée avec lui, sauf à travers Victoria, devenue son amie depuis qu'elle avait écrit un article sur sa peinture, dans *Combat.*

Mathilde Flaiche peignait, sculptait, fabriquait des céramiques à la mode orientale, décorées de motifs géométriques. C'était une vieille dame en porcelaine blanche, avec des yeux d'opale. Vêtue de couleurs pastel, elle paraissait chétive. Une formidable vitalité se dégageait de sa frêle silhouette, tassée au fond du canapé. Elle évoquait Alger, la belle propriété au bord de la mer, avec son jardin en terrasses. Elle se souvenait des bavardages avec Vicky, le soir, devant la mer ; les bougainvillées tapissant les murs, le parfum des orangers.

Très tôt, M. Flaiche et elle avaient senti que ce bonheur ne durerait pas. Des craquements se faisaient entendre, une sorte de grondement venu des profondeurs. Victoria, qui comptait de nombreux amis arabes, les mettait d'ailleurs en garde. Elle collaborait alors à une revue arabisante — des chroniques sur l'Andalousie musulmane, des contes andalous, des légendes. Des textes *apparemment* innocents mais qui, *tous*, célébraient la civilisation musulmane en Andalousie.

À cause de la sympathie qu'elle leur témoignait, elle était adorée des Algériens, notamment des jeunes, les indigènes, comme les appelaient les colons. Jusqu'où cette vénération pouvait aller ? Il y avait certainement eu des ragots. Impossible d'imaginer le mépris des Français d'Algérie pour les femmes qui fréquentaient les indigènes. Mme Flaiche n'avait jamais pu les supporter, ces colons. Plus que méchants, elle les trouvait imbus d'eux-mêmes, bruyants, d'un machisme ridicule.

À quoi Victoria ressemblait ? Un peu forte déjà, sans excès, des rondeurs plutôt, mais une tête et, surtout, un port admirables. On la remarquait partout. Vive, rieuse, avide de vivre, curieuse de tout, douée pour tout. Musicienne, par-dessus tout. Ah, ces nuits où elle se mettait au piano, jouait Albéniz, Falla, Bach et Debussy !

Plus tard, elle habita Maison-Blanche, mais elle passait

toutes les fins de semaine chez eux, au bord de la mer, avec Pierre Crousac, qui restait plongé dans ses ouvrages techniques. S'aimaient-ils? Qui peut répondre à une telle question? Ils formaient un couple, ils se connaissaient depuis le Maroc et ils étaient arrivés ensemble en Algérie. Son impression de femme est qu'il existait entre eux un lien très puissant. Elle ne saurait traduire son intuition : ils avaient chacun leur monde, elle les arts, la musique, lui, la science; ils se parlaient peu. En les voyant assis, chacun dans son coin, on ressentait toutefois une sorte d'accord profond.

Oui, lâchait Mathilde Flaiche à regret, elle évoquait parfois son fils, disparu en Allemagne. Un jour, se souvenait-elle, son neveu, âgé de douze ans, jouait sur la terrasse. Victoria le regardait avec une expression étrange. Soudain, elle dit à voix basse : « *Mon petit aurait le même âge.* » Elle se rappelait surtout ces mots : « *Mon petit* », murmurés d'une voix émue.

Elle avait quitté Alger en 1947, peut-être 1948, elle ne savait pourquoi ni dans quelles circonstances. Les massacres de Sétif l'avaient bouleversée, Mathilde Flaiche en gardait un souvenir très net. Elle ne cessait d'en parler. Peut-être les autorités l'avaient-elles incitée à rentrer en métropole? Elle était *marquée*, n'est-ce pas?

M. Flaiche et elle étaient restés jusqu'en 1960. Victoria et elle s'écrivirent encore. Elle conservait ses lettres où elle lui exprimait son regret d'avoir embrassé la cause des Algériens. Mathilde Flaiche ne le lui reprochait pas. Elle n'avait jamais, depuis son exil, cédé à la nostalgie. Elle n'aimait pas les rhapsodies pieds-noires. Par fidélité, son mari avait été un adversaire du général de Gaulle à qui il ne pardonnait pas de s'être parjuré. Mais c'était le passé. Bien sûr, elle regrettait les années qu'elle avait vécues là-bas. Mais que regrettait-elle, sa jeunesse ou le pays?

Elle avait été heureuse avec M. Flaiche. Elle avait fait une ample moisson de souvenirs et, maintenant, elle les repassait dans sa mémoire. (En parlant, elle touchait souvent ses cheveux blancs, qu'elle semblait lisser.) Dans une de ses lettres, Victoria lui parlait de lui, disant qu'il ne fallait pas croire ce qu'il écrivait à son sujet. Souhaitait-il la lire?

« Non, merci. J'en connais d'avance le contenu.

— Je vous comprends, dit-elle en réfléchissant. Est-il exact qu'elle ait eu d'autres enfants?

— Six en tout. Deux sont morts en bas âge. Les quatre autres...

— C'est pourtant vrai que ça fait beaucoup. Les a-t-elle vraiment abandonnés?

— Tous, sauf l'aîné, qui fut confié à son père.

— Comme les gens sont étranges! On croit les connaître et on découvre... Il ne faut pas la condamner. Nous ne savons pas comment on en arrive là.

« Dans nos milieux bourgeois, avant la guerre, les femmes de la bonne société confiaient les enfants adultérins à des nourrices, à la campagne. Puis, elles les oubliaient. L'instinct maternel, je n'y ai jamais cru. J'aime pourtant beaucoup ma fille qui vit dans cette maison, au premier, avec son mari et ses enfants. Elle enseigne la physique à Montpellier... Il est difficile de juger.

— Je ne juge pas.

— Vous ne lui ressemblez guère. Vous êtes discret, timide. Elle... Je cherche l'expression juste : s'imposer? attirer l'attention? Quand elle se trouvait dans une assemblée, on finissait par ne voir et n'entendre qu'elle. Elle avait des manières mieux que raffinées, une façon de marcher, de relever la tête, de toiser les gens. Pas de l'orgueil, non, pas davantage de la superbe, une distinction naturelle, une assurance tranquille. Sa personnalité m'a beaucoup marquée. Nous étions devenues très intimes. Nous parlions de tout, très librement.

81

« En vous regardant, une chose me frappe : il y avait tout juste deux ans qu'elle vous avait... *perdu*. Or, elle donnait l'impression d'un formidable bonheur. J'éprouve un malaise en me rappelant son rire sur la terrasse.

— Elle se prénommait Victoria ?

— Naturellement. Elle avait un autre prénom ?

— Candida.

— C'est joli. Je l'appelais Vicky et elle m'appelait Maty. Nous étions vraiment deux amies, vous savez, et, depuis que je lis vos ouvrages...

— Ce ne sont pas des autobiographies.

— En un sens, c'est pire. Vous cherchez, vous recomposez la vie que vous n'avez pas eue.

« Pardonnez-moi : elle est toujours de ce monde ?

— Elle s'éteint doucement.

— Après tout ce que je viens de vous dire, vous allez me trouver sûrement loufoque : j'aurais été contente de la revoir. Je ne me souviens que des heures passées ensemble à bavarder de tout et de rien, du son du piano dans la nuit, de sa tête penchée au-dessus du papier, dans le bureau de M. Flaiche. On rencontre rarement quelqu'un ayant une vraie personnalité. Elle, on ne pouvait pas l'oublier. Partout où elle passait, l'atmosphère s'électrisait. On se sentait plus léger, plus libre.

« Vous êtes jeune encore, vous ne savez pas ce qu'on peut ressentir en voyant s'approcher le terme : tout paraît dérisoire, les grands événements, les catastrophes et, même, les guerres. On s'accroche à des détails insignifiants.

« C'est vaste et petit, une vie. »

XII

Tout en buvant son café, Félix poursuivait son récit. Comme tous ceux qui n'ont pas l'habitude de la parole, il se noyait dans les détails, perdait le fil de son histoire. Était-ce l'effet du vin? Son teint se congestionnait, son œil unique luisait d'excitation. Le son de sa voix enflait, dérapait parfois vers l'aigu. Il en était aux Arabes, aux francs-maçons, aux juifs. Il haussait le ton, s'abandonnait à des humeurs prophétiques.

Xavier l'entendait sans l'écouter. Déjà dans sa petite enfance, il possédait cette faculté : son visage demeurait attentif, il hochait la tête, arborait un grand sourire, ses oreilles enregistraient les paroles et sa prodigieuse mémoire les retenait, si bien que, lui posait-on brutalement la question : « *Qu'est-ce que je disais?* », il répétait mot à mot, dans l'ordre, avec le même sourire enjôleur.

Alors que Félix pérorait toujours, sur le péril jaune cette fois, l'enfant repassait dans sa tête la suite de l'histoire, du reste parfaitement prévisible.

Entre la poire et le fromage, comme aimait à dire Candida, elle avait posé à Félix la question de son ton le plus innocent : ne connaîtrait-il pas un hôtel convenable et pas trop cher? Le chevalier toulousain d'enfourcher aussitôt sa Rossinante. Il avait mieux que ça, un studio certes modeste, rue

Portefoin, en plein centre, où elle allait s'installer sur l'heure. Protestations, dénégations : où donc irait-il, lui ? À l'hôtel ! Du reste, il n'y avait pas à discuter, il prenait les choses en main, il se chargeait de tout arranger.

Une fois dans le nid, il suffisait à Candida d'attendre. Félix ne vint d'abord que de temps à autre, s'assurer que tout se passait bien, effectuer de menues réparations. Elle le retenait à dîner et ils bavardaient longtemps, tête à tête. Elle mettait au point de nouvelles versions de ses vies antérieures, qui fournissaient la matière d'un gros roman.

Il y avait le chapitre de la jeunesse, insouciante et riche. La naïveté de l'héritière, mariée contre son gré, avec la scène, terrible à souhait, du viol, après que des mains criminelles eurent tendu à l'adolescente le verre d'alcool — une drogue peut-être ? — qui la mettrait à la merci du suborneur. L'épouvante de la jeune épousée — seize ans ! — découvrant la ruse infâme et s'apercevant, avec quel dégoût ! qu'elle était enceinte. Sa révolte et sa fugue. (Il n'était évidemment question ni d'un amant ni d'enfants adultérins.) La menace d'un internement pour démence précoce.

À ce moment, l'écrivain imaginait Félix bondissant de sa chaise : ah ! il les connaissait, les psychiatres ! Il savait de quoi ils étaient capables ! En Russie, en Argentine, partout, ils jouent leur rôle de flics et de bourreaux. La psychiatrie, c'est un truc inventé par les juifs pour assurer leur domination. Il se démenait, s'agitait, vociférait. Candida tentait d'apaiser la tempête : « *Calme-toi donc, Félix. À quoi sert de te mettre dans des états pareils ?* »

Elle faisait ses gammes, essayait des motifs. Elle devenait à ses yeux une héroïne tragique, une candide trompée par sa famille, trahie par des hommes sans scrupules, grugée par tous les coquins. Elle ne gardait rancune à aucun de ces filous, preuve qu'elle était une sainte. Il la défendrait, il irait en Espagne, il casserait la gueule à ce mari de complaisance, il lui rendrait son fils, Carlos. La mayonnaise prenait.

Comment cette innocente ferait-elle pour se défendre seule ? Et puis, n'était-il pas absurde de rentrer chaque nuit à l'hôtel, ce qui faisait des frais inutiles ? Il la rejoignit dans son alcôve.

À cette époque-là, Candida travaillait à la R.T.F., rencontrait des amis d'Alger, fréquentait des hommes politiques, des journalistes, des écrivains. La nuit, elle écrivait sa pièce, qui serait bientôt jouée ; elle achevait son livre ou préparait ses émissions. De son lit, Félix la regardait, penchée au-dessus de ses papiers, écoutait le grattement de la plume ; il s'émerveillait de posséder une femme comblée de tous les dons. Il la suivit à la télévision ; le regard aux aguets, il flairait partout des cabales, déjouait les pièges que des intrigants lui tendaient. Il bondissait sur le plateau, vociférait, proférait des menaces. En deux ans, il réussira à faire le vide. N'est-ce pas ce que Candida, en son for intérieur, souhaitait ?

Nous échangeâmes, mon double et moi, un regard de complicité. Félix appartenait à la race de ceux qui ne savent penser que s'ils écoutent le bruit de leurs paroles. Il se saoulait du fracas des phrases, les criait pour en augmenter la puissance. Il n'entendait pas le murmure des impressions fugitives et volatiles. Comme deux plongeurs évoluant dans les profondeurs, nous communiquions, l'enfant et moi, par signes. Alors que Félix pouvait croire que nous suivions ses élucubrations — les machinations des juifs qui s'insinuaient dans les couloirs de la télévision, ourdissaient des complots contre Candida, glissaient des chausse-trapes sous ses pas — nous en revenions à Mathilde Flaiche.

J'avais entendu les questions de Xavier, qui rêvait de cette petite femme douce et menue, avec cette curieuse façon de lisser sa chevelure blanche. Il était heureux que Candida ait eu une telle amie.

Parfois, le passé remontait, il ne pouvait s'empêcher de rapprocher les dates : 1944, alors que Candida vivait, à Alger, l'une des époques les plus heureuses de sa vie, avec Pierre Crousac, il se trouvait encore en Allemagne, suivant le flot des réfugiés, parmi les ruines et les décombres ; 1947, elle s'installait à Limoges quand il traversait, au sinistre asile Duran, les plus dures années de son adolescence ; 1948, Candida revenait à Paris, rencontrait Félix, et lui-même, en Espagne, s'évadait du bagne, mendiait le long des chemins, entre Sitgès et Vallcarca, avant d'atterrir à l'orphelinat d'Ubeda. Ces bouffées du souvenir ne duraient pas. Le vent chassait les nuages, son regard s'éclaircissait, un léger sourire passait sur ses lèvres. Il se sentait heureux de voir tous les chapitres s'emboîter les uns dans les autres.

Longtemps, il avait vécu dans la sidération, incapable de couler ses expériences dans un récit cohérent. Il fabulait, s'inventait des histoires qui, comme les contes de ses premières années, l'enlevaient à sa tristesse sans toutefois l'apaiser. Il ne mentait pas vraiment, puisqu'il ignorait ce qu'il avait vécu. C'est pour dissiper cette angoisse que j'avais entrepris et poursuivi mes investigations, lui apportant, une année après l'autre, le résultat de mes recherches. La joie de cette révélation dissipait les mélancolies du chaos. J'étais payé de toutes mes peines, de mes veilles et de mes insomnies par l'extase de Xavier. S'il m'arrivait parfois de me dire que j'avais raté ma vie, sacrifié mon existence d'homme, j'éprouvais, devant son regard émerveillé, la joie furieuse de l'avoir ressuscité. On écrit pour consoler et enchanter l'enfant qu'on porte en soi.

Nous raccompagnâmes Félix, intarissable et surexcité, jusqu'à l'appartement où l'âcre puanteur nous saisit à la gorge dès que nous eûmes franchi la porte de l'ascenseur. Nous retrouvâmes un Athos déchaîné, manifestement content de nous revoir. Malgré sa crasse et son pelage gluant, je le considérai avec bienveillance. J'allai même jusqu'à effleurer son crâne du revers de ma main.

Son maître avait abandonné son unique costume pour enfiler un survêtement sale et troué ; à son air désorienté, je compris qu'il appréhendait de se retrouver seul, abandonné à son insomnie, livré à ses souvenirs. Avec résignation, je passai ma tenue de terrassier.

L'enfant, lui, fixait ses yeux sur l'énorme fauteuil, avec son mécanisme de roues et de leviers. Il ne paraissait pas triste, à peine mélancolique. Il imaginait cette presque nonagénaire clouée là, durant des années, abandonnée à sa mémoire confuse.

Que se rappelait-elle exactement ? Comment considérait-elle son passé ? Était-ce pour étouffer la mémoire qu'elle laissait jour et nuit la radio allumée ? Quels fantômes fuyait-elle à la lueur de la lampe posée sur le téléviseur ? Que reste-t-il de tant de vies, quand la vie vous échappe ?

Tout un siècle de fureurs et de tempêtes avait passé depuis sa naissance. Candida avait traversé trois guerres, la première, en 1914-1918, dans sa villa de Biarritz. Elle regardait passer les ambulances qui transportaient les blessés de la Somme et de Verdun ; elle voyait les femmes du monde jouer aux infirmières ; elle écoutait les récits des atrocités qui se commettaient au Nord, très loin. Imaginait-elle, cette fillette de dix-douze ans, l'horreur de cette boucherie ? Pressentait-elle qu'avec cette jeunesse fauchée tout un monde était en train de basculer dans le vide, *son* monde ? Chaque soir, son père, francophile enragé, déployait sur la table de la salle à manger une immense carte sur laquelle il épinglait de minuscules drapeaux. Il avait toujours été libéral, franc-maçon, et il voyait dans la France le pays qui avait inventé la liberté. Dans son fauteuil de paralytique, amputé d'une jambe, il ne vibrait plus qu'à la progression des oriflammes tricolores, comme si sa vie avait été suspendue à la victoire, cette fois décisive, des Lumières contre l'obscurantisme.

Très tôt le matin, Candida chevauchait entre la Chambre d'Amour et l'estuaire de l'Adour. Elle abandonnait sa monture pour plonger dans les vagues. Elle se cachait dans les criques, toujours flanquée de son gros chien blanc. Heureuse ? Autour d'elle, la haine exsudait un silence pétrifié. Savait-elle que son père ne l'avait pas désirée ? Qu'il ne s'était marié que contraint et forcé, quand la belle Présentation — c'était vraiment son nom, Marie de la Présentation — lui avait annoncé sa grossesse ? Devinait-elle que cet invalide n'avait jamais pardonné à celle qui n'était qu'une maîtresse parmi tant d'autres de l'avoir roulé dans la farine ? Que, du jour même de leurs noces, il avait cessé de lui adresser la parole ? Candida se racontera une histoire exactement inverse ; elle se rêvera fille idolâtrée de son père, choyée par lui, comblée de présents.

L'enfant, qui s'était longtemps inventé une famille à tout le moins princière, comprenait ce mythe, qui sauve du néant. La presque adolescente, dotée déjà d'un charme et d'un tempérament qui désarçonnaient les garçons, qu'entendait-elle cependant à toutes ces zizanies, hormis que, pour la richissime famille de Grenade, la mère comme la fille étaient deux pestiférées ? Soupçonnait-elle la cause secrète de cette vindicte ? Lisait-elle, dans les regards des deux tantes, sœurs de son père, fières de leurs millions, le mépris, non pas tant de la petite provinciale pauvre qui a su mettre le grappin sur le pactole, que le dégoût de la bigote, couverte de médailles et de chapelets ? Candida flairait-elle quelle ancestrale

88

mémoire dissimulait ce rejet? Connaissait-elle le secret de Grenade, ses reniements forcés, ses massacres et ses bûchers?

Il y a peu de chances que cette jeune Candida ait connu cette histoire. Baptisée, confirmée, élevée chez les religieuses de Saint-Joseph de Cluny, plus tard mariée à l'église, elle se sentait sans doute pareille à toutes les jeunes filles de son milieu.

Est-ce toutefois de cela que, dans son fauteuil, la nonagénaire se souvient? Ou des amours perdues aussitôt que trouvées? des enfants semés aux quatre vents? des trahisons et des parjures? Elle n'a jamais très bien su quelle était sa vie, distingue-t-elle où la mène son terme?

L'enfant rêve à ces énigmes, qui sont pour partie les siennes. Il détourne parfois les yeux pour observer l'écrivain, qui chamboule tout avec une énergie forcenée, agite sa bombe, dirige le jet vers les étagères, les plinthes, balaie les insectes morts, en fait de petits tas qu'il ramasse ensuite à la pelle. Ses joues paraissent creusées, des cernes mauves entourent ses yeux. Alors, saisi de pitié, Xavier bâille à s'en décrocher les mâchoires. Aussitôt, le double se tourne vers lui, pose ses bombes et ses balais, ses torchons et ses flanelles.

« Il est temps d'aller dormir, dit-il. Excuse-moi, Félix, il sera bientôt trois heures. »

Plongé dans des liasses de papiers auxquels il n'entend rien, Félix sort de sa léthargie.

« Bien sûr, il faut me pardonner. J'ai perdu l'habitude du sommeil. Toutes ces nuits à veiller, à... »

Cependant que le scribe change de tenue, il continuera de pleurnicher.

Rentré au domicile de Rémy, sur les hauteurs de la Butte, j'allai m'enfermer dans la salle de bains, jetai mes vêtements, passai sous la douche. Je restai près d'une heure sous le jet, m'écorchant la peau avec le gant de crin. Quand je me glissai enfin dans le lit, il me semblait encore exhaler cette puanteur infecte.

L'enfant, qui ne dormait pas, se pressa contre moi. Dans la pénombre, il me contemplait avec une expression de gratitude éperdue, comme si j'avais été un héros de la guerre de Troie. Je caressai machinalement ses cheveux.

« Ce n'est qu'un sale moment à passer, dis-je. On en a connu d'autres, pas vrai ? »

Je l'entendis murmurer qu'elle serait sûrement contente et je ne pus m'empêcher de ricaner.

« Elle nous aura eus jusqu'au bout, oui. Je parie qu'elle se fend la poire en nous voyant.

« Peur ? Tu veux dire de mourir ? Ce n'était pas femme à trembler. Tout de même, le passage n'a pas dû être facile. Quatre ans, c'est long. »

Soudain, je fus pris d'un fou rire.

« Tu as raison, il n'a rien compris, murmurai-je. Son histoire ne tient pas debout. Nous sommes seuls dans le secret maintenant.

« Allons, il faut dormir. Nous sommes fatigués. Si fatigués. Personne ne saura jamais combien la route a été longue. »

XIII

Du palier, nous entendîmes la voix, toujours rageuse, de Marie-Louise.

« Regarde un peu comment tu es attifé ! Tu as l'air d'un clochard.

— Il ne te plaît pas, mon costume ?

— Tu appelles ça un costume ? Il y a des taches partout, le col de ta chemise est tout noir, ta cravate... Ne vois-tu pas ce qu'elle a fait de toi ?

— Je t'interdis de t'en prendre à Vicky. D'ailleurs, je ne supporte pas d'être commandé. Si je te fais honte, tu n'as qu'à ne pas venir. Nous irons seuls avec Michel.

— Il a d'autres chats à fouetter, Michel, que de mettre son nez dans votre crasse. Dans ses livres, il vous traite plus bas que terre. Il fait de toi un fou, d'elle une salope, qu'elle était sûrement.

— Tu veux ma main sur ta figure ? Qu'est-ce que tu sais, toi, de lui et Victoria ? Ils s'adoraient, voilà la vérité. Oh, je sais ce qui s'est passé, va ! Ce n'est pas une petite traînée comme toi qui pourrais comprendre. Ils s'adoraient, voilà ! Elle n'avait que son nom à la bouche, jusqu'à la dernière minute. Ç'a d'ailleurs été son dernier mot : " *Michel !* "

— Je l'ai assez entendu parler de son chéri ! Elle racontait partout...

91

— Veux-tu te taire ? hurla-t-il. Je n'ai pas besoin de toi. Je n'ai besoin de personne. Je crèverai seul dans mon coin, comme un chien. Plus rien ne m'importe désormais. Quant à Michel, il peut bien faire ce qu'il veut, et, même, me traiter de fou, si ça lui chante. Je l'aime à cause de l'amour qu'elle avait pour lui.

— De l'amour ! ricana Marie-Louise. Elle l'a abandonné comme on jette une paire de godasses usées, oui.

— Godasses ! Je reconnais le langage de ta mère. »

Je décidai d'écourter la scène, appuyai sur le bouton de la sonnette.

« Ah, tu es enfin là, dit Félix en m'embrassant. Tu crois que ça pourra aller ? demanda-t-il en me montrant sa tenue.

— C'est très bien, dis-je.

— Tu vois ? dit-il en se tournant vers sa fille. Michel me trouve très bien.

— C'est parfait, dit-elle en haussant les épaules.

« Nous étions en train de nous engueuler, murmura-t-elle. Il paraît qu'elle vous adorait.

— Tu crois que je ne t'entends pas ? cria Félix. Parfaitement, elle l'adorait. Lui ne peut pas comprendre. Il était trop petit. Ce qu'elle a fait, c'était pour le sauver. Elle en a souffert toute sa vie.

— Il faut y aller, dit Marie-Louise, visiblement excédée. J'ai commandé le taxi pour deux heures et demie. La cérémonie est prévue pour trois heures et demie.

— On ne passe pas d'abord aux pompes funèbres ? demanda Félix. J'aurais aimé la revoir.

— Le cercueil est fermé. Nous allons directement au cimetière.

— Elle était belle sur son lit de mort, Michel ! Tu ne peux pas savoir comme elle était belle ! (Il se remit à pleurnicher.) Elle souriait. On aurait dit qu'elle me remerciait de tout ce que j'avais fait pour elle. »

92

Il paraissait plus désemparé encore qu'à ma première visite, déambulait dans la pièce avec un regard désorienté. Il reniflait, se mouchait, se remettait à geindre.

« Il y aura un prêtre ? demanda-t-il.

— Tu feras dire une messe à la paroisse, si ça te chante.

— À Notre-Dame, dit-il avec emphase. Ou, mieux encore, à Saint-Germain-l'Auxerrois, qui était la chapelle des rois.

— C'est ça, ricana Marie-Louise. Pourquoi pas à Saint-Pierre de Rome ? Finissons-en. Thiais se trouve au diable Vauvert et il tombe des cordes.

— Et le chèque pour les obsèques ? demanda Félix.

— Tu le feras sur place. Je t'aiderai à le remplir. Rassure-toi : tu le signeras toi-même.

« Il s'imagine que je le vole », murmura-t-elle à mon intention.

Derrière sa colère, on devinait la blessure. Mortifiée de découvrir ce père humilié, soupçonneux et vindicatif, elle se défendait par l'attaque.

L'enfant semblait se désintéresser de la scène. Il gardait une attitude bizarre, détachée, indifférente presque. Peut-être ne comprenait-il pas ce que ce mot, enterrement, signifie réellement ? À moins qu'il ne lui fût égal de savoir ce qu'on ferait du cadavre de Candida ?

Comme Marie-Louise l'avait annoncé, il pleuvait des hallebardes. Bas et noir, le ciel frôlait les cheminées des immeubles. La lumière créait une atmosphère de désolation. Je souris : quel autre temps pour des obsèques minables, dépêchées à la sauvette ?

Nous nous tenions serrés dans le taxi, Félix assis auprès du conducteur à qui il racontait la maladie de sa femme, son agonie, avec surabondance de détails macabres. Près de moi, Marie-Louise avait du mal à contenir son impatience. D'une élégance sobre, elle tournait son beau visage vers une banlieue sinistre, que j'avais souvent traversée, sans toutefois m'y arrêter. Je pensai à Rémy. J'imaginai sa réprobation devant l'accumulation de détails sordides. Quant à Xavier, il se rencognait, la tête rentrée dans les épaules. Pas une pensée ne s'échappait de son front buté. Seuls ses yeux vivaient, regardaient d'un air morne les immeubles lépreux, les cités grises et monotones, les ateliers et les garages. Les enseignes des magasins clignotaient déjà, avec des éclats de couleurs grinçantes.

Nous entrâmes dans l'enceinte du cimetière et je restai un instant interdit. Je ne sais ce que j'avais imaginé : je découvrais une nécropole immense, faite d'allées tirées au cordeau, bordées de monuments horribles. Machinalement, je suivis Marie-Louise qui, d'un pas décidé, se dirigeait vers l'accueil, un bâtiment édifié dans les années 20, avec des angles durs, des colonnes musclées. Pourquoi l'enfant ne riait-il pas, lui qui avait si fort le sens du comique ?

Guidé par son regard, je découvris, devant les marches, le fourgon mortuaire, avec, sur le cercueil, l'unique couronne, celle que nous avions commandée avant notre départ du Languedoc. Ainsi la dépouille attendait-elle sous la pluie battante, dans une solitude et dans un abandon symboliques. Si jamais elle y avait pensé, comment Candida avait-elle imaginé ses obsèques ? Qu'eût-elle dit en apercevant cette cité des morts plantée dans une banlieue sinistre ?

Deux employés des pompes funèbres discutaient devant le fourgon et, nous apercevant, consultèrent leurs montres. Nous étions légèrement en avance, dirent-ils sans rire à Marie-Louise, que la nervosité rendait de plus en plus dure.

Dans le hall, tout aussi solennel, flanqué d'un comptoir de succursale de banque, Marie-Louise éplucha la facture, établit le chèque que Félix signa en expliquant à l'employé qu'il n'y voyait plus guère, que sa main tremblait et que... Sa fille le tira par la manche.

« Allons-y, dit-elle avec impatience. Le plus vite ce sera fini et le mieux ça vaudra pour tous.

— La tombe n'est pas prête, dit l'employé levant les yeux vers la pendule accrochée au mur.

— Comment ça, pas prête? dit Marie-Louise, interloquée.

— Ben non. Les fossoyeurs n'ont pas arrêté. Ç'a été une journée très chargée avec de grands enterrements.

— Et nous? rétorqua-t-elle d'un ton sec. Qu'est-ce que nous sommes censés faire?

— Vous pouvez vous asseoir là, sur le banc. Ça ne devrait pas être long.

— Vous nous autorisez à nous asseoir? dit-elle avec une ironie appuyée. Ça veut dire quoi exactement, pas long?

— Une heure, dit l'employé.

— Une heure? cria-t-elle presque.

« Assieds-toi, papa. Il faut attendre.

— Attendre quoi? J'ai reconnu le fourgon. Michel a même envoyé des fleurs. Elle n'en voulait pas. "*Ni fleurs ni couronnes* ", disait-elle souvent. Mais ça lui fait sûrement plaisir, surtout venant de toi.

— Vous vous rendez compte? dit Marie-Louise en se tournant vers moi.

« Ils n'ont aucun respect. Je leur enverrai une lettre de protestation. C'est inconcevable ! »

Je ne répondis pas. Je me demandais toujours ce que cachait le mutisme de l'enfant. Il restait sagement assis, le visage éteint. Ni ce décor de hall de gare ni ce comptoir grandiloquent ne suscitaient sa curiosité.

Quand le moment arriva enfin de se lever, il nous emboîta le pas, suivit le fourgon le long de ces allées interminables, parmi les tombes et les caveaux. Nous nous abritions sous le parapluie de Marie-Louise, écoutant les lamentations de Félix. Sans doute conscient de l'indigence de cette cérémonie plus drôle que triste, il geignait d'un ton machinal, parlait à la défunte. « *Ma pauvre Vicky,* chuchotait-il. *Ma chérie! Que vais-je devenir sans toi?* », formules qu'il avait dû entendre dans son enfance toulousaine et que, faute de spectateurs, il récitait sans conviction.

La terre boueuse collant aux semelles, les flaques qu'il nous fallait éviter, le rideau de pluie étendu devant nos yeux, tout nous distrayait, nous empêchait de penser à la morte, qui roulait au pas, bien à l'abri dans sa boîte. Si lente, cette procession grotesque, que, n'en pouvant plus, Marie-Louise donna l'ordre au conducteur d'accélérer l'allure. C'est au pas de course que nous arrivâmes devant le carré où les fossoyeurs travaillaient encore, remuant une glaise lourde, imbibée d'eau. À la sauvette ou presque, nous enjambâmes des planches branlantes, nous penchâmes au-dessus du trou, feignîmes de nous recueillir, et, après avoir chacun jeté une fleur sur le cercueil, prîmes la fuite.

C'est l'instant que choisit le petit homme aux grandes oreilles pour surgir d'entre les tombes, un bouquet à la main. Une seconde, je demeurai stupéfait. Ravalant un rire nerveux, je serrai longuement la main de M. Martin, balbutiai des remerciements, acceptai son offre de raccompagner Félix dans sa voiture.

Trempé de la tête aux pieds, le malheureux veuf semblait ne pas savoir ce qu'il faisait là. Tel un vieil acteur à la retraite qui retrouve un ancien comparse, il endossa aussitôt son personnage, soulagé de pouvoir, enfin, lâcher son texte. Je les regardai s'éloigner ensemble, penchés l'un vers l'autre.

Me retournant alors, je m'aperçus avec stupeur que mon double m'avait faussé compagnie. Je regardai autour de moi, incrédule. Je me sentis soudain désemparé. Je m'imaginai en panne d'émotions, enterré vivant avec mes dictionnaires et mes lexiques. Je restai un long moment perplexe, sentis la pluie ruisseler sur mes cheveux.

« Qu'est-ce que vous faites ? s'impatienta Marie-Louise, que nos farces n'amusaient guère.

— Une minute, je vous prie. »

Tout s'éclairait : le mutisme de l'enfant, son air d'indifférence et d'apathie. Je fouillai dans mes poches, retrouvai le plan du cimetière que l'employé du comptoir m'avait tendu. Je courus parmi les tombes, me trompant plusieurs fois d'allée, de carré...

XIV

De ses yeux mélancoliques, Xavier fouillait parmi des croix couchées, des dalles cassées, des couronnes en plastique défaites. On aurait dit qu'un bombardement venait de se produire.

Je savais ce que l'enfant cherchait parmi ces décombres. Il tentait d'identifier l'emplacement de la sépulture du demi-frère, Aldo, que je n'avais pas voulu connaître et qui était mort, il y avait de cela près de quinze ans, dans une salle de l'Hôtel-Dieu. De ce pauvre fou qui avait attendu vingt ans que sa *Mamita* vienne le reprendre et qui, dans le jardin de Biarritz, tournait les yeux vers la grille et sursautait chaque fois qu'un bruit de pas faisait crisser le gravier.

Depuis combien de jours l'enfant y pensait-il ? Qu'espérait-il trouver parmi ces ruines ? Une fois encore, je fus remué de pitié en le voyant planté sous la pluie, le regard baissé. Je m'approchai doucement, pris sa main.

« Veux-tu que nous leur donnions à tous deux une sépulture décente ? »

Il leva vers moi son regard embué et je vis son visage barbouillé de larmes.

« Ne pleure pas, criai-je presque, à bout de nerfs. Je ne supporte pas de te voir pleurer. Je ferai tout ce que tu voudras. Je te conterai son histoire, je...

« Mais non, pourquoi serais-je fâché ? C'est seulement... »
Je détournai la tête, gêné sans doute par la pluie.

« Même si ça ne sert à rien, dis-je enfin, nous les mettrons ensemble, chez nous, au soleil. Loin de cette pluie, loin de tout. »

Je pressai très fort sa petite main.

« Je suis heureux que tu aies cherché cet endroit. Tu es ma mémoire profonde, ma seule fidélité, et, le jour où tu me quitteras, je deviendrai un vieillard inutile. »

Il ébaucha un sourire.

Nous retrouvâmes l'allée principale et Marie-Louise, de plus en plus coléreuse.

« Enfin ! Je me demandais où vous étiez passé. J'allais repartir sans vous.

— Je cherchais la tombe de mon demi-frère.

— Le haut fonctionnaire ?

— Non, lui, il a une vraie sépulture, une famille qui vient la fleurir pour la Toussaint, des fils et des filles qui regardent parfois ses photos. Je cherchais l'écrivain.

— Ah, celui qui a fait de la prison ? Il a donc existé ? Il a vraiment écrit ?

— Trois romans, oui.

— Ça passe la mesure ! Hier soir, au téléphone, mon mari était furieux contre moi. Il ne comprend pas ce que je fiche ici, parmi ces fous.

— Moi non plus.

— Elle l'avait abandonné quand ?

— Sept mois après sa naissance, en 1927.

— *Sept mois ?* cria-t-elle. Vous vous rendez compte ?

« Et elle ne l'a jamais recherché ?

— Elle savait où il était.

— Si je reste encore quelques jours ici, je sens que je deviendrai folle à mon tour. Vous dites qu'elle savait ?

— Il ne vivait pas loin, à Biarritz, là où elle l'avait laissé.

— À votre place, je l'aurais étranglée.

— C'est une solution que je n'ai jamais envisagée.

— Vous auriez dû », dit-elle sérieusement.

La nuit descendait alors que le taxi atteignait la place d'Italie.

« Vous êtes bien sûr, au moins, qu'il n'y en a pas d'autres ? dit soudain Marie-Louise avec toujours son ironie lourde.

— Il en manque un.

— Ben voyons !

« Et de quel père il était, ce fantôme ?

— Du même. C'était l'aîné, Andrès.

— L'aîné, dites-vous ? Mais il avait quel âge, lui, quand elle l'a... ?

— Deux ans.

— *Deux ans ?* Mais est-ce que vous réalisez... ? Je ne comprends pas votre placidité. À votre place...

« Ils avaient un nom ? demanda-t-elle au bout d'un moment.

— Martinez. Comme elle était mariée religieusement, Candida ne pouvait pas les reconnaître légalement.

— Le père ne les a pas non plus reconnus ?

— Ma grand-mère les a déclarés à la mairie, sous le nom de Martinez.

— Ils n'ont jamais su l'identité de leurs parents ?

— Si. À l'adolescence, le cadet a connu une vieille parente de son père, qui habitait Biarritz. Elle lui a raconté toute l'histoire.

— Comment Candida l'a-t-elle retrouvé ?

— C'est moi qui, en lisant son livre, l'ai reconnu. J'en ai parlé à ma mère.

— Quelle a été sa réaction ?

— Elle a d'abord nié. Elle m'a raconté une histoire vaseuse. À l'en croire, les enfants étaient ceux d'une de ses amies, une actrice, à qui elle avait rendu service en conduisant les marmots à Biarritz.

— Vous l'avez crue? demanda Marie-Louise avec un ricanement.

— Je ne croyais rien de ce qu'elle disait.

— C'est dément! dit Marie-Louise.

« Quel âge avait-il lorsque vous avez parlé à votre mère?

— Quarante-six ans.

— Et en quarante-six ans, elle n'avait jamais...?

— Non.

— Vous croyez qu'elle y pensait?

— Elle ne pensait pas comme la majorité des gens.

— Ç'a dû lui ficher un coup, à ce type, de retrouver sa mère. Surtout cette mère-là. Il s'en faisait sûrement une image différente.

— Il la voyait telle qu'elle était dans son enfance, mince, jolie, élégante, insouciante et riche.

— Parce qu'il l'avait *vue*? demanda Marie-Louise en se tournant vers moi.

— Les huit premières années, elle leur rendait visite, leur écrivait.

— Mais ç'a dû être terrible quand elle a cessé...

— J'imagine que ce fut assez dur, oui, dis-je avec lassitude.

— Candida n'avait donc aucune conscience!

— Si. Conscience d'elle-même, de sa valeur. C'était une femme courageuse.

— Vous la justifiez? À votre place, je n'aurais pas pu la regarder dans les yeux.

« Remarquez, dit-elle d'une voix radoucie, il y a eu quatre hommes dans ma vie, dont deux maris. J'ai quatre enfants. Seulement, moi, je ne les ai pas abandonnés.

— L'époque n'est pas la même.

101

— C'est vrai. D'ailleurs mon père, s'il en avait eu plusieurs, ça n'aurait rien changé.

« Avouez que nous avons l'air fin, tous les deux, à trotter sous la pluie et à remuer cette... Faut croire que nous aimons ça, les coups. Quand je pense qu'il me soupçonne de guigner son héritage ! Je n'en ai pas besoin de son argent, mon mari gagne bien sa vie, mes fils travaillent. Je n'ai jamais manqué de rien. J'ai été élevée par ma mère et ma grand-mère, à Lyon, dans une maison tout à fait convenable. Si je n'ai pas fait d'études, je m'en suis quand même bien tirée. J'ai mon brevet d'esthéticienne. »

Je sentis la réaction de l'enfant : de quoi manque-t-on, quand on ne manque de rien ?

« Je serais contente que vous veniez un jour chez nous. Mon mari est ingénieur, il bouquine beaucoup.

— Volontiers.

— Je suis heureuse de vous avoir connu. J'en ai par-dessus la tête de tous ces gens. Ils ne savent que faire du mal. Dès demain, je rentre à Lyon. J'ai besoin de respirer l'air pur, de marcher dans la campagne, de retrouver mon mari et mes enfants.

« Mais pourquoi ? cria-t-elle soudain. Pourquoi ? »

Je serrai la main que Xavier avait glissée dans la mienne. Pour lui aussi, j'étais content que tout fût fini.

XV

L'infection me parut s'être atténuée, le désordre me sembla moins chaotique. Le chien avait l'air calme et dormait, blotti dans un fauteuil. Un silence étrange s'étalait en nappes tranquilles, comme si l'absence, avec l'escamotage du cadavre, se manifestait par une sensation de vide et d'impuissance.

Félix, tassé dans un fauteuil, face au chien, restait prostré. Quand il parla, sa voix rendit un son las, presque doux.

« Vous n'avez pas eu trop mal pour rentrer ? Je m'excuse de vous avoir faussé compagnie : je me sentais épuisé.

— Tu as bien fait, dit Marie-Louise. Avec cette pluie, tu aurais pu attraper la crève.

— Je me suis essuyé et frictionné en rentrant, j'ai bu une tasse de café avec M. Martin. C'est un brave homme.

— Tu disais hier qu'il reluquait ton appartement.

— Évidemment, chacun pense à ses petites affaires. C'est tout de même un brave homme. Je crois qu'il estimait Victoria à sa valeur.

— Sans aucun doute. Qu'est-ce que tu comptes faire maintenant ? Je dois rentrer à cause des enfants.

— Tu en as déjà beaucoup fait. Michel me donnera peut-être un coup de main. Je n'ai jamais rien décidé sans elle et maintenant... Je la consultais pour tout.

103

— Elle était sûrement de très bon conseil, dit Marie-Louise.

— Tu plaisantes. Tu ne sais pas quelle femme elle était.

— Ça, je l'admets volontiers. Au cimetière, Michel cherchait la tombe d'Aldo Martinez. Tout le carré est dévasté, les pierres brisées, les croix renversées.

— C'est vrai? dit-il en me fixant de son œil vide. Je suis content que tu aies pensé à lui. La concession était pour trente ans. Avec les années... Elle ne pouvait pas se rendre là-bas, tu comprends? Quant à moi...

« Nous en parlions souvent. C'était un malheureux. Avec les dons qu'il avait... Elle l'aimait bien malgré tout...

— Quand même! ricana Marie-Louise.

— Tu ne sais pas tout ce qu'il lui a fait, tout l'argent qu'il lui a coûté.

— Tu as une bizarre façon de voir les choses, papa. Et elle? Elle ne lui avait rien fait peut-être?

— Ce n'était pas sa faute. C'est sa mère et ton père, excuse-moi, Michel, qui l'ont obligée.

— Et tu gobais ça?

— Gober, quoi? dit-il en levant ses yeux vers sa fille.

— C'est la faute à tout le monde, c'est la faute à personne. Elle a eu combien d'années, selon toi, pour faire le voyage jusqu'à Biarritz?

— Après, ce fut la guerre, l'exil, le camp, l'Algérie. C'était une malheureuse.

— Tu vas me faire pleurer.

— Vous ne pouvez pas comprendre. Une femme seule.

— Seule? Michel ne compte pas peut-être? dit sa fille avec un ton ironique.

— Elle et lui, c'est une seule personne.

— Sauf que lui, il s'est retrouvé vraiment seul, paumé, et qu'elle a continué sa route.

— Tu me fatigues. Tu n'arriveras jamais à la comprendre. C'était une femme exceptionnelle. Je me trompe, Michel?

— Le mot juste serait extraordinaire.

— Tu vois, dit Félix d'un ton de triomphe. Il sait, lui.

— Pour savoir, il sait.

« Dès que j'arriverai chez moi, je t'enverrai des costumes, du linge, des chaussures, un manteau.

— Je n'en veux pas, dit-il. Je n'ai besoin de rien.

— Comme tu voudras, dit-elle avec brusquerie. Alors, au revoir.

— C'est ça, au revoir et bon vent! Si tu crois que je ne te vois pas venir! Tu ressembles à ta mère, tiens.

— Qu'est-ce que tu insinues encore?

— Rien, rien. Vous êtes bien toutes les deux pareilles. Tu n'avais pas dix ans que tu faisais déjà la danse du ventre devant des Arabes, à Lyon...

— Mais tu es devenu fou, ou quoi? hurla-t-elle. C'était un restaurant et il appartenait à ma grand-mère... C'est trop dégueulasse, à la fin!

« Tenez, dit-elle en me tendant une carte de visite. Je loge chez une parente, dans le VIIIe, une avocate. Téléphonez-moi. »

Elle marqua une hésitation avant de se pencher pour embrasser son père. On la sentait au bord des larmes. Je la raccompagnai jusqu'à la porte, serrai sa main.

« C'est sans importance, dis-je.

— Vous ne savez dire que ça : c'est pas grave. Vous encaissez sans broncher les pires horreurs. Dans la vie, il y a des choses graves. Un père qui insulte sa première femme et qui salit sa fille, c'est grave.

— Je vous comprends. Moi, j'ai l'habitude.

— Moi, pas. Je ne m'habituerai jamais à ces ignominies. J'ai un mari, des enfants... Il va encore penser qu'on dit du mal de lui. Appelez-moi. »

Je la suivis des yeux alors qu'elle s'engouffrait dans l'ascenseur.

« Elle s'imagine que je ne m'aperçois pas de ses manigances. Elle m'a déjà barboté l'héritage de ma sœur, une maison à Béziers. Ma sœur n'avait aucune famille, elle m'a téléphoné un soir. Le temps que Vicky me passe la communication, pfuit, on avait déjà coupé. Ensuite, j'apprenais que ma fille se trouvait là-bas avec son mari. Ça ne te dit rien, ça?

— Tu la voyais souvent, ta sœur?

— On ne s'était pas revus depuis... 1937... J'étais quand même son préféré.

« Ma fille, c'est une rien du tout. Victoria a essayé de l'aider, elle lui donnait des cours. Elle a vite compris à qui elle avait affaire. On ne la trompait pas, elle, tu peux me croire. »

J'imaginai les insinuations, les mines offusquées. De la dentelle d'Alençon. J'avais de nouveau la nausée.

Durant toute la scène, je m'étais vu dans un miroir. Combien de fois n'avais-je pas ressenti ce mélange de honte et de fureur?

J'allais m'éclipser, j'aperçus l'enfant, penché sur le chien. Il lui parlait à voix basse, le caressait. Intrigué, Athos l'observait avec curiosité. Je faillis m'emporter. Xavier releva la tête, nos regards se heurtèrent : « *Non*, dis-je. *Cette fois, tu ne m'auras pas. J'en ai par-dessus la tête. Nous avons enterré Candida, nous avons mis un peu d'ordre dans ce capharnaüm. Maintenant, ça suffit... Quoi? Veux-tu que je te dise? Tu es aussi rusé qu'elle. Un voyou.* »

Je me tournai vers Félix :

« Je t'aiderai à ranger et à classer les papiers, dis-je.

— C'est gentil. Ils sont à toi, elle l'a toujours dit. Que veux-tu que j'en fasse?

« Il y a aussi les vêtements, ajouta-t-il. On pourrait peut-être les donner? Viens voir. »

106

Il passa dans la chambre, coulissa la porte vitrée de la penderie. Une minute, je restai figé : robes, blouses, chemisiers, tailleurs, manteaux, fourrures, le tout portant la griffe des plus grandes maisons de couture. Par douzaines, pour toutes les saisons et toutes les occasions. À côté, sur les étagères, les chapeaux, les gants, les carrés d'Hermès, les sacs. Sur un cintre, enfin, dans un coin, l'unique complet de Félix, trois chemises usées, un peu de linge.

« Tu as compris, n'est-ce pas ? dit-il avec son rire étrange. Elle avait tout, moi, rien. Mais je l'ai voulu. Je ne vivais que pour elle. »

Je faillis hurler de rage. Je me souvins : l'enfant n'avait pas sept ans, dans un palace de Marseille, et une cliente, devant l'élégance tapageuse de Candida, lui avait jeté : *« Madame, quand on porte les toilettes que vous avez sur vous, on ne laisse pas son enfant en guenilles. »* La honte, toujours. Comme dans ce collège des frères des Écoles chrétiennes, à Montpellier, où elle était arrivée, chapeautée, gantée, parfumée avec Shalimar, dans un tailleur de lin blanc : « *Madame,* lui avait jeté le frère économe, *plutôt que de songer à vous grimer et à vous parfumer, vous feriez bien de régler la pension de votre fils. »* Toutes les humiliations passaient dans les yeux de Xavier, qui contemplait, incrédule. J'aurais voulu le secouer, le tirer de là. Il ne bronchait pas, comme foudroyé.

Que pouvait-elle faire de toutes ces toilettes, elle qui ne voyait personne ? Quelle chimère ces chapeaux coiffaient-ils ?

« On ne peut pas les donner, dis-je brutalement. Il faudrait tout désinfecter.

— Tu crois ? C'est qu'il y en a pour une fortune. Elle achetait toujours ce qu'il y avait de plus cher.

— C'est la loi », mentis-je.

Déjà, j'arrachais les robes et les tailleurs de leurs cintres, les fourrais dans une poubelle, empoignais rageusement les

blouses, les chemisiers, entassais les manteaux et les fourrures.

Assis sur le bord du matelas, Félix me regardait faire sans
réagir, anéanti.

« Tu comprends pourquoi je ne voulais pas que ma fille
mette son nez là-dedans ? Elle n'aurait rien compris. Toi
seul...

« C'était la princesse », dit-il avec un rire de contentement.

Je l'observai à la dérobée. Qu'avait-il compris à l'histoire
qu'il avait vécue ?

« *Aux Grands Vents,* dit-il, dans les Ardennes, c'était pareil.
Je marchais dans la neige pour scier du bois, des troncs
d'arbres épais comme ça... La cheminée était immense, en
pierre taillée. Je me gelais pendant que Madame restait
assise au coin du feu, à bouquiner ou à délirer avec l'autre,
Aldo, un sacré fumiste, tu peux me croire... Monsieur passait
ses nuits à téléphoner à Londres, à New York, à Nouméa...
Oui, oui, à Nouméa ! Il empruntait de l'argent à gauche et à
droite, faisait des chèques en bois : et qui trimait pour régler
tout ça ?... »

Pour la première fois, j'avais perçu dans sa voix un
frémissement de haine. Était-elle dirigée contre Candida ou
contre Aldo ?

« Je ne regrette pas. »

L'enfant s'approcha doucement de lui, jusqu'à le frôler. Ils
pleuraient maintenant l'un contre l'autre. Ils sortaient de la
même hallucination.

Je feignis de ne rien remarquer, continuai de jeter ces
défroques.

Étaient-ce bien des vêtements ou des costumes de scène ?
Les lumières de la rampe venaient de s'éteindre, la troupe se
dispersait. Je restais seul dans la coulisse, dressant l'inven-
taire. La grande salle, avec ses velours fanés, résonnait

encore du fracas des mélodrames. Je traînai les poubelles dans l'entrée.

Quand j'arrivai à Montmartre, Rémy n'était pas encore couché. Assis dans un fauteuil, près de la baie qui regarde tout Paris, il crayonnait en écoutant Léo Ferré.

« Tu es encore debout?

— J'avais un travail à finir. Et toi, ça n'a pas été trop dur?

— Sublime de grotesque noir.

— *It's life.*

— *Not even death* », dis-je en me laissant choir face à lui.

Je savais quel était ce travail urgent qui le maintenait éveillé. Il savait que je le savais. Je lui résumai brièvement la journée.

« C'est vrai que ça devient drôle, dit-il sans arrêter de dessiner. »

Je lui décrivis la penderie.

« Je me demande jusqu'à quel point il est lucide, murmurai-je.

— J'ai connu une fille sage, parfaitement élevée, timide même. Elle a tué sa rivale avec un couteau de cuisine. Quand je l'ai revue, après six ans de prison, elle ne gardait aucun souvenir de son acte. Un trou noir.

— C'est peut-être ça, oui. Je vais me doucher, me changer. Je pue.

— Je reconnais l'odeur. C'est la pisse de chat.

— De chien, dis-je.

— Un yorkshire n'est pas un chien. À peine un chat.

« Tu devrais surtout faire un voyage. Je connais une île, en Tunisie.

— Je n'irai nulle part.

— Tu as tort. Parfois, ça marche.

109

— Pas toujours ni pour tous. Je préfère les mots au sable et aux cocotiers.

— Réflexion faite, je crois que tu as raison : l'ironie espagnole ne manque pas de piquant. »

Toute la nuit, je sentis Xavier remuer dans son sommeil. Il s'était tourné vers le mur, avait feint de dormir. J'évitais de le frôler.

Ce fut une très longue, une interminable nuit.

DEUXIÈME PARTIE

En nous naissent et meurent à chaque instant d'obscures consciences, des âmes élémentaires, et c'est leur mouvement, entre naissance et mort, qui constitue notre vie. Et quand elles viennent à mourir brusquement, elles font, par un choc en retour, notre douleur.

MIGUEL DE UNAMUNO
Le sentiment tragique de la vie

I

Les services d'Hygiène viendraient dans l'après-midi et Félix, ne sachant où se réfugier avec le chien tout le temps nécessaire à la désinfection — cinq heures —, avait obtenu l'autorisation de s'installer chez une voisine, qui ne rentrait pas avant le soir de sa consultation à l'hôpital.

Saisissant la balle au bond, l'enfant l'avait persuadé de laver et désinfecter Athos. Ce ne fut pas sans mal. Félix se lamentait, jurait que jamais il ne se pardonnerait si le chien prenait froid. Mais le petit diable était redevenu d'humeur farceuse et rien ni personne n'auraient pu lui résister. Aussitôt dit, aussitôt fait, Athos fut plongé dans une bassine d'eau tiède, aspergé de shampooing, frictionné, rincé, replongé illico, refrictionné avec un produit antiparasitaire, enveloppé de serviettes-éponges, massé, parfumé, passé au séchoir, brossé, enfoui dans un tricot propre et transporté, enfin, au cinquième, chez la pédiatre. Blotti dans les genoux de l'enfant, il s'endormit, apaisé et probablement soulagé.

Je n'avais pu m'empêcher d'admirer la détermination et l'énergie du petit bonhomme qui, le chien sur ses genoux, me fixait avec un air de malice. Combien de chiens maltraités, rendus méfiants et réputés dangereux, l'avais-je vu amadouer dans sa petite enfance ? Il n'affectionnait rien tant que les causes désespérées.

Installés dans un décor clair et douillet, nous écoutions Félix dévider ses souvenirs. Cela faisait des années qu'il ne parlait qu'avec Candida, autant dire tout seul, puisqu'elle lui répondait à peine, plongée dans la stupeur de la maladie. Je tentais d'imaginer ce tête-à-tête, lui assis sur une chaise, tenant sa main entre les siennes; elle, dans son fauteuil à leviers et à ressorts, dodelinant du chef, lâchant un oui par-ci, un non par-là.

Du temps que je venais partager un de leurs repas, elle prenait un air excédé dès qu'il enfourchait ses grands chevaux, entre une conspiration juive ou la haute stratégie chinoise. Elle ne l'interrompait pas, attendait qu'il s'épuisât et décidât, enfin, de se coucher. Mais ses petites mains pianotaient nerveusement sur la nappe et elle levait les yeux au ciel. Déjà rue Portefoin, dans les années 55-58, elle faisait mine de ne pas supporter ses élucubrations. « *C'est un fou* », glissait-elle à la cantonade. Ou encore, en espagnol : « *Que latoso, chico* [1] *!* »

Félix en était au mariage, célébré en janvier 1955, dans la plus stricte intimité : six amis en tout, dont les témoins, deux personnages politiques de la IVe République.

« On a décidé comme ça, pour légaliser la chose. Elle n'attachait aucune importance au mariage, moi pas davantage. Je pense qu'elle était contente d'avoir la nationalité française.

— Elle a déclaré être célibataire, ça ne t'a pas étonné, ensuite, cette avalanche d'enfants ?

— Tu sais, elle m'a toujours tout dit. D'abord à sa façon, tu la connais, ensuite... J'ai beau paraître stupide, je savais quand elle racontait des blagues. En réalité, elle a fait ça

---

1. « Quel raseur, mon petit ! »

pour éviter les complications. Le divorce avec son premier mari avait été prononcé à Saint-Domingue. Il aurait fallu faire des démarches, attendre. On a toujours décidé ensemble. Pour les enfants, pareil. De l'existence de Carlos, j'étais au courant, j'ai tout fait pour les rapprocher. Il lui en voulait un peu de t'avoir préféré et de t'avoir pris avec elle alors qu'il restait en Espagne. Je lui ai expliqué que tu étais petit... Bref, ça s'est arrangé.

« Pour toi, elle te croyait mort. Elle pensait que tu n'avais pas pu revenir vivant d'Allemagne.

« Quant à Aldo et son frère, elle me l'avait caché par fausse honte. Elle avait mauvaise conscience. Pourtant, c'est bien sa mère qui l'a obligée à les laisser chez ces trois vieilles filles.

— Pas tout à fait, dis-je. Elle le lui a simplement conseillé.

— Tu cs sûr de ça ?

— Certain.

— Elle les aimait, je te jure.

— Sûrement.

— C'est bien ta grand-mère qui a arrangé leur placement, non ?

— C'est elle, oui. Dans son esprit, il s'agissait d'un placement temporaire.

— Remarque, ça se faisait beaucoup, à l'époque, chez les riches. À Toulouse, j'ai connu plusieurs gosses qui avaient été mis chez des paysans.

« Du reste, Aldo et l'autre, ils n'avaient même pas d'identité. Nés de père et de mère inconnus. On leur avait donné un patronyme de complaisance, le premier venu, Martinez, comme qui dirait Durand.

— Ce n'était pas le premier venu. C'était celui de ma grand-mère, qui les avait déclarés à l'état civil.

— Martinez-Taberán, protesta-t-il, avec un trait d'union entre les deux ! Son oncle était gouverneur.

115

— Aucun trait d'union, Martinez pour le père, Taberán pour la mère, selon la coutume espagnole.

— Tu es sûr?

— Absolument.

— C'était une bonne famille? dit-il timidement.

— Des instituteurs, des professeurs, un gouverneur, en effet, la gloire de la famille. Classe moyenne provinciale.

— Elle était tout de même terrible! Il fallait toujours qu'elle brode!

« Enfin, pour les gosses, elle ne pouvait pas les reconnaître?

— C'est vrai, puisqu'elle était toujours mariée.

— Tu vois? qu'est-ce qu'elle pouvait faire? Pour toi, il y avait eu le divorce à Saint-Domingue, elle a pu se remarier civilement.

— Ça ne t'intriguait pas, toutes ces liaisons, toutes ces combines?

— Je l'aimais comme elle était. J'aurais tout pris d'elle. Je n'ai jamais rencontré une pareille femme. Tu ne peux pas savoir, Michel, quel talent elle avait! Je l'ai suivie à la Télévision, en 1950, comme éclairagiste. Tu n'imagines pas ce qu'elle arrivait à faire avec rien : un drap tendu, deux guitares, une voix, et le Guadalquivir scintillait sur l'écran. Tu croyais voir l'Andalousie. Tous, ils en étaient bouche bée.

— Pourquoi a-t-elle quitté la télévision?

— Des jaloux, des envieux, des gens de rien qui étaient arrivés là comme balayeurs et qui se faufilaient... Ils n'arrêtaient pas d'intriguer. »

Je le laissai à une énième conspiration.

Candida devenait, sinon célèbre, à tout le moins connue. On jouait une pièce d'elle, sur une scène parisienne importante; elle publiait un livre en Argentine, un pamphlet hargneux et vindicatif contre la France, à qui elle ne pardonnait pas son internement à Rieucros, en 1940; elle

116

collaborait à la radio et à la télévision. Or, du jour au lendemain, elle s'enterrait dans l'entresol de la rue Portefoin, acceptait un emploi de conseillère musicale dans une entreprise de vente de disques par correspondance. Levée à six heures, elle traversait Paris, se rendait à la porte de Pantin, passait sa journée dans un bureau, rentrait exténuée. Comment expliquer cet enfouissement? L'amour? mais Félix était justement en train de démolir cette hypothèse.

En 1951, elle avait écrit à Carlos une de ces lettres que je ne connaissais que trop bien. Elle se sentait vieillir, sa santé déclinait, elle voyait approcher le terme du voyage. Elle rêvait de rentrer au pays pour y mourir. Choc du fils, qui ne s'est senti ni aimé ni même désiré. Haut fonctionnaire du régime, il se fait fort d'obtenir sa grâce, *indulto*. Il croit l'avoir obtenue, court la chercher à l'aéroport. Au début, tout se passe bien : le soleil, les oliviers de Jaén, où Carlos dirige un établissement public, les processions et les corridas. (Xavier avait passé deux ans, de 1949 à 1951, dans un orphelinat dirigé par les jésuites, à Ubeda, distant de moins de cent kilomètres de Jaén, la capitale de la province. La mère, qu'il voulait croire morte pour ne pas avoir à affronter une vérité insupportable, arpentait tranquillement les places et les promenades de cette ville dont, de la fenêtre de sa chambre, il regardait, la nuit, les lumières.)

Candida se lassait des papotages, des retraites et des homélies. Il lui manquait quelque chose qu'elle avait toujours eu : elle rappela Félix, qui accourut.

« Elle m'a raconté, dis-je à l'intention de l'enfant, que l'anecdote ravissait, comment vous faisiez l'amour dans la vieille forteresse de Jaén?

— Elle t'a raconté ça? dit-il en rougissant. Ce n'était pas dans la forteresse mais dans le musée du château.

« Le gardien nous enfermait dans une salle. Carlos ne voulait pas que j'habite chez lui parce que les gens auraient...

Enfin, tu connais l'Espagne mieux que moi. J'avais une chambre à l'hôtel où ta mère ne pouvait pas non plus monter. Alors, le gardien fermait les yeux. C'était un chic type.

« Quelle idée de te raconter une chose pareille ! dit-il en secouant la tête.

— Je trouve l'histoire jolie.

— C'est vrai ? dit-il avec son rire bizarre, l'air visiblement soulagé. Tu sais, on s'aimait bien à l'époque.

— Tu es resté longtemps à Jaén ?

— Trois mois peut-être. Nous avons décidé de rentrer en France et sommes partis pour Madrid. Là, à peine arrivés, deux flics en civil l'ont cueillie à la sortie du métro, devant la Banque d'Espagne, si tu vois...

— Station *Banco*, dis-je.

— Je les ai suivis jusqu'à la caserne.

— *Puerta del Sol*, expliquai-je.

— Je suis resté toute la nuit en bas, sur un banc. J'ai dit que je ne bougerais pas de là tant qu'ils ne l'auraient pas libérée. Le matin, le chef, un commissaire, est venu me trouver : « *Son fils a fait une bêtise, monsieur Bouguet, en s'avançant et en l'assurant qu'elle était graciée. Mais soyez tranquille : nous savons qu'elle n'a tué ni fait tuer personne. Rentrez à votre hôtel. L'affaire risque de durer un bon moment, le temps que nous procédions à certaines vérifications. Je vous donne ma parole d'homme qu'il ne lui sera fait aucun mal. Je vous demande de nous aider en attendant son retour sans faire d'esclandre.* » J'ai compris que j'avais affaire à un type bien. Comme je n'avais plus d'argent, j'ai trouvé du travail dans une entreprise française, j'ai loué un appartement.

— Elle est restée longtemps en prison ?

— Deux mois environ. Ensuite, elle est rentrée chez nous, à Carabanchel, je me rappelle le nom. Mais elle n'avait toujours pas l'autorisation de repartir et, dès qu'elle mettait le nez dehors, les gars de la secrète la suivaient partout. Je les repérais au premier coup d'œil, j'arrivais à les semer.

— Elle avait la nationalité française ?

— Pas encore. C'est un peu pour ça que nous nous sommes mariés.

« Un temps, elle a trouvé refuge dans un couvent d'Argüelles, chez les sœurs qui l'avaient élevée.

« Enfin, tout s'est arrangé. On a pu prendre le train pour Paris. Dans le wagon-restaurant, on s'est tapé la cloche : champagne, haut médoc, armagnac, tout ce qu'elle aimait. En franchissant la frontière, nous nous sommes embrassés.

« Remarque, j'ai regretté que nous ne soyons pas restés à Madrid. Je gagnais bien ma vie, l'appartement était grand, j'aimais bien l'atmosphère.

— Elle ne voulait pas vivre là-bas ?

— Elle ne le pouvait pas. Toujours ses histoires, tu la connais. Depuis l'Algérie, elle fricotait avec les anarchistes. C'était un Don Quichotte, il fallait toujours qu'elle se mette dans des situations impossibles.

— Vous êtes rentrés quand ?

— Janvier 53, je m'en souviens à cause de la fête des Rois, à Madrid. J'ai regardé la cavalcade. »

Le voyage de l'enfant touchait également à son terme. Il arrivait à Huesca, trouvait refuge chez Antón, frôlait la mort à Saragosse. À bout de forces, il se traînait vers cette frontière mythique.

Xavier y pensait-il ? Il ne quittait pas le chien des yeux, souriait, murmurait des : « *Mais oui, tu es beau... Tu es gentil.* » Ses réactions me désarçonneront toujours : un détail l'émeut aux larmes et des énormités le laissent apparemment de glace.

L'écrivain se trompait, une fois de plus. Il confondait silence et indifférence. L'enfant avait suivi le récit de bout en bout, dessinant même, sur une carte d'Espagne imaginaire,

119

les périples croisés de Candida et les siens. Une géographie onirique où les lieux, les paysages, les villes devenaient autant de métaphores. Ce n'était pas tant ce chassé-croisé qui l'intriguait toutefois. Ce qui retenait son attention, c'était l'arrestation, la quatrième dans une vie — en 1936, en 1940, en 1941, en 1951 — suivie d'un interrogatoire de deux mois dont, une fois encore, elle sortait indemne.

Il ne s'étonnait pas de la candeur de Félix, prêt à tout gober ; celle du scribe, en revanche, le laissait perplexe. À force de se plier aux règles de la logique formelle, les adultes en laissaient échapper une autre, plus secrète, qui courait sous les événements. Xavier tirait ce fil invisible et toute la tapisserie se défaisait, révélant sa trame. Il lui avait suffi d'un mot, anarchistes, d'un lieu, couvent, pour deviner l'envers de l'histoire.

En caressant Athos, il caressait en réalité Candida : « *Dors maintenant*, lui disait-il. *La course est terminée. Tu as franchi le poteau. Je ne t'en veux pas, je ne t'en ai jamais voulu. Tu aimais la vie. Tu avais besoin de la humer, de la palper, de la mordre. Tu ne tenais pas en place parce que, très vite, sa saveur s'affadissait et qu'il te fallait des stimulants de plus en plus forts. Tu n'avais ni scrupules ni remords. Tu ignorais jusqu'au sens du mot responsabilité. Tu avais un orgueil démesuré, du courage, une énergie terrible. Rien ne te résistait, ni personne. Tu balayais tous les obstacles, tu piétinais tous ceux qui voulaient te barrer la route. Tu courais de plus en plus vite. Tu as cru que je pouvais me dresser sur ton chemin et tu as tenté de m'écraser. Dors maintenant, dors. Nous n'avons pas su trouver les mots justes. Tu croyais me séduire en te faisant telle que tu n'as jamais été. Je ne te demandais ni d'être bonne, ni de paraître vertueuse. Je te demandais d'être toi, enfin. Dors maintenant, dors.* »

Je restai stupéfait. Jamais encore mon double n'avait tenu un si long discours, qui plus est, avec mes mots à *moi*. Voulait-il empiéter sur mon terrain ? En avait-il assez de son rôle ? Sa mauvaise foi me faisait enrager. Sa trouvaille d'une logique autre que formelle, qui, sinon moi, l'avait eue le premier? Tous mes livres, depuis dix ans, étaient là pour en témoigner. Chacun renvoyait à l'autre, s'y réfléchissait, complétait le précédent, préparait le suivant. Non, il ne s'agit pas d'une vaine querelle de scribes, il y va...

« *S'il me plaît, à moi, de monter sur mes grands chevaux? Il n'y a rien de plus important que les livres, qui d'ailleurs sont ma seule vie. Tu me cèdes volontiers mes droits! Voyez-moi ça! Je ne demande que la justice. Oui, oui, c'est assez bien vu dans l'ensemble. D'ailleurs, c'est justement l'idée que je voulais exprimer quand... Admettons. Disons que nous avons eu la même intuition au même instant et n'en parlons plus. Bien entendu, je retranscrirai fidèlement tes propos. Moi aussi, je t'aime bien, gros bêta.* »

II

Je m'arrangeai pour arriver en retard à Saint-Germain-l'Auxerrois où la messe était célébrée. Je me glissai dans le fond de la nef, cherchai des yeux Félix parmi la maigre assistance, une dizaine de vieilles femmes aux silhouettes aussi sombres qu'effacées. Je le repérai sans peine, dans un imperméable clair à épaulettes. Je ne fus guère surpris de le voir marcher vers l'autel pour recevoir la communion. Je remarquai qu'il boitait de la jambe gauche et me rappelai que, en 1973, il avait eu un second accident du travail en tombant du haut d'une échelle. Son allure me frappa : un vieillard presque chauve, grand et bien bâti, qui claudiquait, tête baissée, les bras croisés sur la poitrine.

L'enfant regardait autour de lui avec curiosité, levait les yeux vers les voûtes, les vitraux, les colonnes. Trouvait-il inconvenant que Félix communiât sans s'être confessé ? Xavier avait toujours éprouvé un sentiment religieux aussi vague qu'ineffable. Son esprit baignait dans le mystère. De ses intuitions, il répugnait à parler, comme si les mots avaient risqué de dissiper la magie de ses expériences les plus intimes. Les dogmes l'effrayaient par leur juridisme étroit. Il ressentait, devant ceux qui affirment haut et fort leur croyance, une aversion mêlée de peur. Peut-être ne voyait-il rien de scandaleux à ce que Félix fît l'impasse sur le sacrement de la pénitence? Dans la théologie de l'enfant, tous les hommes naissaient absous. Incluait-il Candida dans cette réconciliation cosmique? J'examinai la question avec perplexité.

Il portait un costume marin, celui que son oncle paternel lui avait acheté chez Old England, avec un sifflet qui pendait sur sa poitrine. Sous ses longs cheveux noirs ondulés, il avait toujours le même visage renfrogné. Il ressemblait à la photo de lui prise devant la porte d'un hôtel, en 1939, avec ses chaussettes qui tire-bouchonnaient, ses genoux décorés parce qu'il passait ses journées à quatre pattes, à jouer avec des animaux ou à tenir de grands discours aux plantes.

L'assemblée se dispersa et nous rejoignîmes Félix, qui larmoyait, ému par la liturgie du souvenir. Il regrettait que le prêtre n'eût pas, dans son homélie, davantage insisté sur les vertus de Candida. Nous lui fîmes doucement remarquer qu'il ne pouvait en dire beaucoup plus, ne l'ayant jamais vue dans son église et ne la comptant parmi ses paroissiennes. Il s'apaisa mais tint encore à commander une huitaine pour le repos de la défunte. Nous lui fixâmes rendez-vous sur le quai, à l'angle de la place du Châtelet.

Malgré la saison, la matinée était sèche et radieuse. On aurait dit que l'hiver voulait rappeler l'existence d'un printemps. Sous un ciel de gentiane, l'atmosphère était tiède, presque chaude au soleil. Le long des quais, les passants adoptaient une allure de flânerie.

Nous nous assîmes à la terrasse, commandâmes un café, des croissants. Il y avait longtemps que je n'avais pas senti mon double aussi détendu. Il trouva le café excellent, les croissants moelleux à souhait. Il contemplait avec bienveillance la foule qui déambulait, les tours de la Conciergerie, la flèche de la Sainte-Chapelle. Nous étions comme deux touristes qui se délectent d'un repos bien gagné. Nous

123

avions l'impression d'avoir franchi une frontière et la place du Châtelet nous semblait aussi loin de la rue des Archives que Rome de Paris. C'était un autre monde, plus vaste, ouvert sur le fleuve, peuplé de femmes et d'hommes différents. Par moments, on aurait cru respirer l'air de la mer. Nous restâmes un long moment silencieux, paupières fermées, savourant cette paix.

Soudain, l'enfant se retrouva aux Canaries, à Santa Cruz de Tenerife, où j'ignorais qu'il fût allé.

« Tu ne m'en as jamais parlé, dis-je.

— Bien sûr que si! Tu as oublié.

— J'oublie rarement ce que tu me racontes.

— C'est ce que tu crois. Tu as une mémoire sélective, qui retient ce qui l'arrange.

— Et pourquoi aurais-je voulu oublier Santa Cruz?

— Parce que ce fut une grosse déception.

— Ça se passait en quelle année?

— En 1950. Nous étions au collège d'Ubeda. Tu écrivais partout, pour retrouver maman. Tu avais eu l'adresse du premier mari de Candida, qui possédait une clinique chirurgicale en Estrémadure, non loin de Cáceres. Tu lui avais envoyé une lettre le priant de t'aider à retrouver ton demi-frère, Carlos. À ta grande surprise, il t'avait répondu en t'invitant chez lui.

— Nous l'avons vu?

— Pas lui, non. Son frère, José-Manuel, qui était obstétricien, ainsi que sa femme, Carmela. Nous avons même visité la maison du père de Carlos. Dans le salon, il y avait un piano à queue recouvert d'une housse, le portrait de Candida était posé sur l'instrument.

— C'est bizarre, dis-je. Comment pouvais-je me rappeler l'existence de cet homme que je n'avais jamais vu, dont j'ignorais même le nom?

— C'est moi, dit-il avec un sourire. Je me souviens de

tout, depuis que je suis tout petit. J'ai des souvenirs d'un âge
où les enfants ne se rappellent rien. Une sorte d'infirmité.
J'avais retenu l'histoire, dont grand-mère et ma nounou,
Tomasa, parlaient souvent.

— Tu es sûr que tu n'inventes pas ?

— Je le jure ! Nous avons fait du vélo dans la campagne,
nous nous sommes empiffrés comme deux goinfres. On avait
une de ces faims ! Nous avions faim depuis Madrid, en 1936.
Jusqu'à vingt ans, nous avons toujours eu faim.

— Le vélo, murmurai-je en étendant mes jambes devant
moi, ça me dit quelque chose. Le fils de José-Manuel aussi.

— Il avait dix-sept ans et s'appelait Gonzalo. Il était
beau, sportif, rieur. Même qu'il te mettait sur le guidon et
que tu...

— Nous avons passé là tout l'été ?

— Deux semaines environ, le temps d'organiser notre
voyage à Tenerife où Carlos occupait je ne sais quel poste au
gouvernement civil.

— Cela me revient maintenant. Nous nous sommes
embarqués à Séville, n'est-ce pas ?

— Sur un vieux rafiot, *Capitaine Segarra*. Tu étais déçu
parce que tu avais pensé voyager sur un paquebot tout blanc.
Tu as toujours eu la folie des grandeurs.

— Si j'étais déçu, tu l'étais forcément aussi.

— Non, moi, j'étais content. Le voyage suffisait à me
distraire. Je regardais défiler les rives du Guadalquivir.
Parmi les ajoncs et les roseaux, il y avait une multitude
d'oiseaux, des cigognes, des flamants roses. C'était le soir,
nous sommes arrivés à Cadix à la tombée de la nuit où
d'autres voyageurs montaient à bord.

« Pendant toute la traversée, tu es resté couché, malade. Il
y a eu une tempête horrible, les vagues passaient par-dessus
le pont, le bateau tanguait et roulait, s'enfonçait dans l'eau.
Même l'équipage avait le mal de mer.

— Tu te donnes toujours le beau rôle, dis-je. Toi, bien sûr, tu n'étais pas malade ?

— Non, j'ai eu très peur mais je n'étais pas malade. Je suis resté sur le pont à contempler les vagues, hautes comme des immeubles de cinq étages.

— Carlos nous attendait ? Il était content de nous voir ?

— Il se trouvait sur le quai, oui. Nous étions très fiers de lui et de sa femme, Luz. Ils avaient un fils de trois ans, Carlos-Miguel.

— C'est tout de même bizarre que tu te souviennes de tous ces détails.

— J'ai toujours tout enregistré pour toi. Je savais que cela te servirait un jour.

— Cela ne te pèse pas, tous ces souvenirs ?

— Non. Quand tu les racontes, je me sens soulagé. Tu arrives toujours à les glisser dans le bon tiroir. Moi, je ne sais jamais où les caser et ils traînent un peu partout. D'ailleurs, ce ne sont pas vraiment des souvenirs. Des images plutôt, des odeurs...

« Je respire celle de Luz, une belle créole qui passait ses journées allongée, à rêvasser. Un parfum capiteux, mélange de patchouli et de tubéreuse.

— Elle était gentille avec nous ?

— Oui et non. Carlos n'avait que son traitement de fonctionnaire et elle s'inquiétait d'avoir d'autres bouches à nourrir. Elle avait pour son mari les ambitions qu'elle n'avait pas pour elle-même. C'était une sorte de mollusque, fixée au mariage telle la moule à son rocher.

— Et lui ? dis-je.

— Il nous aimait bien, il aurait voulu nous aider. Mais elle lui répétait de ne pas s'encombrer de demi-frères qui ne lui étaient rien. Elle pensait que notre présence aurait pu nuire à sa carrière. Nous étions les *fils de la Rouge*.

— Mais lui aussi, rétorquai-je.

— C'était pas la même chose. Élevé en Espagne par son père et sa grand-mère, il sortait du moule franquiste. Alors que nous...

« De plus, dit-il en baissant la voix, nous mentions comme nous respirions.

— Comment ça, nous mentions ?

— Nous racontions que Candida était morte, nous inventions les détails. Pour ça, j'étais très fort. Je décrivais le bombardement, la fumée, les cris.

— Ce n'était pas un vrai mensonge.

— Évidemment, dit l'enfant. Mais Carlos, lui, il *savait,* puisqu'il avait rencontré Candida lors de son passage par l'Espagne, en octobre 1942.

— C'est juste, dis-je. Il a dû nous trouver fous.

— Nous étions assez fous, dit Xavier. Tu n'avais pas encore commencé à mettre mes souvenirs bout à bout et ils se heurtaient dans ma tête.

« Je crois pourtant que Carlos a été vraiment gentil. Il aurait pu avertir Candida dont il connaissait l'adresse, rue Portefoin. Il a pensé qu'il valait mieux pour nous rester au collège, à Ubeda.

— Tu trouves ça gentil, toi ? Il aurait pu nous éviter trois ans d'errance, de Barcelone à Huesca et à Saragosse ! Nous avons failli y laisser la peau.

— À ce moment-là, elle nous aurait vraiment tués. Nous n'étions pas de taille à lui résister, dit-il avec une soudaine mélancolie.

« J'ai entendu Carlos, une nuit, alors qu'il parlait avec Luz. Un rideau séparait notre chambre de la leur. On entendait tout.

— Tout ?

— Tout, oui. Ça me faisait un drôle d'effet parfois.

« Je ne savais pas ce qu'ils fabriquaient. À cause de

127

mon ignorance, c'était encore plus troublant. Une sorte de rêve.

— Qu'a donc dit Carlos?

— " *Si elle remet la main dessus, elle le cassera définitivement. Ce gosse a besoin de recouvrer ses esprits.* "

— Mais..., dis-je au bout d'un silence. C'est bien l'année suivante que Candida est allée le rejoindre à Jaén, non? »

Xavier me fit un sourire de connivence.

« Il ne lui a rien dit non plus, murmurai-je, l'air rêveur.

— Non, dit Xavier. Nous étions pourtant à une soixantaine de kilomètres.

— Qu'est-ce que tu penses de tout ça? demandai-je pour moi-même.

— Il nous a laissé une chance.

— C'est tout de même insensé!

« Tu te rappelles Santa Cruz? dis-je distraitement.

— Peu. Les terrasses et les balcons couverts de fleurs, les jardins, la langueur de l'atmosphère.

— Tu y penses souvent?

— Des fois, comme ça. Quand j'entends le mot Canaries ou que je vois un catalogue, dans une agence de voyages.

— Ça te rend triste, ce souvenir?

— Non, pourquoi? Nous avons passé de bonnes vacances. Carlos t'a acheté deux costumes. À la rentrée, au collège, tu étais très fier. »

Félix survint, enchanté de la cérémonie et content de savoir que des messes seraient dites pour le repos de l'âme de Candida. La douceur de l'air ajoutait sans doute à sa bonne humeur. Depuis combien d'années n'avait-il pas quitté l'étroit périmètre, autour de la rue des Archives? Il respirait, trempait son croissant dans le café.

Xavier profita de cette détente pour le convaincre d'entrer à la Samaritaine acheter un lit neuf, un Frigidaire, une cuisinière, un four. Toute la fin de la matinée se passa en courses et nous déjeunâmes dans une brasserie, sur la place du Châtelet.

III

Depuis que l'appartement avait retrouvé un aspect moins sordide, j'avais entrepris le tri et le classement des papiers, en commençant par ceux qui remplissaient le coffre. Avant de saisir une liasse, je devais chaque fois pulvériser de l'insecticide pour écarter les blattes.

Je trouvai d'abord ce que Félix m'avait annoncé : avertissements, commandements d'huissier, menaces de poursuites. De toutes les couleurs et de tous les formats, rédigés dans le jargon comminatoire des administrations, je les rangeais, par rubriques, dans des chemises que je glissais ensuite dans des cartons d'archives. Je procédais avec ordre, sans me presser ni me décourager. Assis à une table, près de l'une des fenêtres qui donnaient sur les Archives, une petite lampe à ma gauche, j'examinais ces débris d'une vie. Félix gagnait bien sa vie ; de son côté, Candida n'avait jamais cessé de travailler. Comment expliquer ces retards accumulés, ces règlements toujours oubliés, ces pénalités que je regardais s'alourdir de mois en mois ? Dans ses lettres aux administrations, Candida prenait des engagements qu'elle ne respectait pas davantage, si bien que l'engrenage des poursuites et des amendes continuait. Dans le même temps, elle commandait à gauche et à droite les objets les plus hétéroclites et les plus farfelus. Elle ne s'était jamais faite à la médiocrité de sa

130

condition. Depuis la guerre civile et l'exil, sa vie n'avait été qu'une suite de bricolages et d'expédients. Elle travaillait, certes, comment toutefois son salaire aurait-il suffi à payer les toilettes luxueuses, les restaurants les plus chics, les parfums, et les crèmes de beauté ? Candida avait toujours été pauvre du seul argent dont elle avait le plus besoin : l'argent superflu.

Tout en poursuivant mon travail d'archiviste, je surveillais du coin de l'œil mon double, qui, assis sous un portrait de Candida, caressait Athos. Je savais qu'il ne s'ennuyait pas, ne s'impatientait pas. Il pouvait rester des journées entières immobile, à rêvasser ou à se raconter des histoires. Il aimait ces longues heures d'intimité, alors que, penché au-dessus de la table, plongé dans mes papiers, je travaillais sans bouger. Quand je levais les yeux, nos regards se heurtaient, nous échangions un sourire. Il était heureux que je fusse là pour écarter et déchirer les pauvres ruses de Candida. Il n'aurait pas aimé que d'autres que nous regardent ce fouillis de calculs toujours inexacts.

J'entendais aussi le monologue apaisé de Félix, englué dans ses souvenirs. Il me suffisait d'un simple mot pour entretenir la machine, qui ronronnait, tel un vieux poêle.

Dans une grande poubelle, près de ma chaise, je jetais les papiers que je déchirais. Elle fut bientôt pleine et j'en pris une autre, puis une troisième.

Quand mes yeux tombaient sur une lettre personnelle, je la parcourais avant de la glisser dans l'un des cartons ouverts à mon nom. La plupart dataient des années 50-53, après son retour d'Alger et de Limoges. Leur papier avait jauni, les signataires étaient morts, certains connus — des hommes politiques, deux ministres, deux écrivains —, d'autres anonymes. Candida avait toujours écrit, vite, d'une grande écriture décidée. Elle remplissait plusieurs feuillets, étirait ses phrases, alignait les adjectifs, soulignait certains mots d'un double trait énergique.

En 1953, Carlos se plaignait qu'elle ne fût pas restée auprès de lui, en Espagne. Il s'étonnait qu'elle eût choisi de rentrer à Paris pour y accomplir d'obscures besognes et, selon son expression, « *s'user au travail* ». Il comprenait que Félix lui manquait et justifiait son attitude envers lui par le fait que son père était toujours en vie, ce qui rendait la situation « *vraiment trop délicate* ». Il réitérait son offre : sa maison lui était ouverte. Elle y trouverait une famille, des petits-enfants.

De toute évidence, il ne s'était pas agi, en 1951, d'une simple visite. Candida était bel et bien décidée à demeurer en Espagne, auprès de son fils aîné. Félix connaissait-il ses intentions ? Comment avait-il réagi à ce qui ressemblait à un abandon ?

Pour les motifs de l'échec, la correspondance de Carlos les faisait clairement entendre : sa mère ne pouvait pas vivre seule. Est-ce à dire que Félix lui manquait ?

Un ministre de ses amis lui répondait par une lettre manuscrite et lui faisait clairement entendre que Félix lui nuisait dans ses activités : « *Pour brave qu'il soit, et il l'est certainement, son caractère, chère Victoria, ne cesse de vous attirer des difficultés. Je vous le dis au nom de notre vieille amitié.* »

Avec un sourire, je regardai des dizaines de photocopies de la page de garde de mon premier roman où j'avais écrit : « *Ce livre que nous avons écrit ensemble.* » Je voulais dire que nous venions de nous retrouver après une séparation de treize ans, mais elle brandissait partout cette phrase, preuve de mon imposture. Des années plus tard, elle tentera d'expliquer son attitude : « *Oui, j'eus le tort de considérer comme mon enfant ton premier livre... Tu partis d'un bon pied pour " la gloire "* (sic). *La mère ne pouvait que s'en réjouir, l'écrivain raté, qui avait dû jeter sa plume aux orties, t'en voulut beaucoup.* »

Je trouvai, enfin, deux manuscrits dactylographiés, deux autres écrits à la main, restés inachevés. Le premier, un récit à la première personne, revenait sur la date décisive, 1942. Il s'agissait d'un plaidoyer tendant à prouver qu'elle ne m'avait pas abandonné — les autres termes étaient bannis, imprononçables parce que impensables, d'abord par elle —, mais qu'un destin impitoyable l'avait séparée de moi. Elle citait le nom du passeur qui lui avait fait traverser clandestinement les Pyrénées et à qui elle m'aurait confié. Elle n'avait pourtant besoin de me confier à personne : il lui suffisait de demander mon rapatriement auprès de ma grand-mère ou de me confier à mon oncle paternel.

Ce passeur, je l'avais connu en 1962. Un Andorran solide et râblé, à la peau tannée. Il désirait me rencontrer pour me faire part de son indignation à la lecture du livre que Victoria avait fait paraître en Argentine. Elle l'accusait de lui avoir volé des pièces d'or.

J'étais alors moins lucide et, surtout, moins désabusé. Je retrouvai ma honte. Nous devisâmes longtemps dans un café. Il se souvenait de l'enfant, qu'il revoyait, très maigre, l'air frileux, coiffé d'un béret. Il m'invita à séjourner dans son auberge, à Andorre-la-Vieille.

Je le revis vingt ans plus tard, propriétaire d'un palace que son fils dirigeait. Au restaurant du dernier étage, devant une grande baie vitrée qui regardait les montagnes piquées de lumières, nous dînâmes à quatre avec le fils du passeur et mon éditrice catalane, jeune femme vive et intelligente.

Devenu riche, le vieil homme conservait ses allures de paysan montagnard. Il nous conta comment, avec la complicité des soldats allemands qui gardaient la frontière, il organisait la fuite des clandestins. Il les cachait dans des camions remplis de linge sale. Je souris parce que Candida avait toujours prétendu avoir franchi la montagne à pied, dans la neige. Moins épique, la version du vieil homme me parut plus plausible. Les camions roulaient jusqu'à Lérida, d'où les fugitifs, escortés par son frère, prenaient le train pour Barcelone. Les convois partaient de Perpignan, par Bourg-Madame. En février 1944, la filière fut démantelée, lui arrêté à Perpignan, son frère dans un village voisin, avec un groupe de femmes et d'enfants. Tous deux furent déportés à Buchenwald.

Il décrivait Candida comme une jolie petite femme, maigre et très blonde. Elle avait traversé la frontière accompagnée de la fille d'une haute personnalité de la Résistance qui était attendue à Barcelone. Pour Candida, l'affaire se présenta moins bien et il dut la cacher un temps chez un de ses cousins, à Manresa. Les services des renseignements anglais désiraient en effet l'interroger avant de la prendre en charge. Elle put, enfin, partir pour Madrid, puis s'embarqua à Málaga pour rejoindre Casablanca.

« *Cet enterrement m'obsède et me poursuit* », par ces mots débutait le second manuscrit. Il ne s'agissait pas de son enterrement à elle mais de celui de sa mère, la belle Présentation, morte seule à Barcelone, en 1953, et qu'elle n'avait pas revue depuis son passage par Madrid, en 1942. Avec une curieuse tendresse, elle évoquait la jeunesse difficile de cette mère, tour à tour haïe et adorée. Je rangeai cette pile de feuillets, piqués de chiures d'insectes, et me promis de les lire à tête reposée.

Le titre du troisième, *Trois fois rien*, condensait assez bien la banalité de l'anecdote : une femme découvre, en trouvant une lettre, que son mari la trompe. Avec une ironie involontaire, le récit commençait par cet aveu : « *Je vais avoir soixante... cinq ans. Je ne me trompe pas, voyons : née en 1905.*

134

« *Cela me fait tout drôle d'écrire ainsi, tout bonnement, l'âge* VRAI
que je vais avoir dans quelques mois. J'ai tant triché, tant fait valser
les chiffres dans ma tête et sur ces sales papiers qui disent toujours des
choses désagréables que je ne savais plus où j'en étais. »

Elle avait corrigé le chiffre, mis 1910 au-dessus de 1905,
raturé le mot cinq, pas assez fort cependant pour qu'on ne
pût pas les lire. Du coup, le VRAI en capitales se détachait
avec une solennité touchante d'ingénuité. Pourquoi était-il
impossible à Candida, de s'avouer la simple vérité ?

« *Comme je suis très grosse — à vrai dire énorme depuis quelques*
années — cela (tricher) *était possible. À d'autres la baliverne :*
" *Grossir, c'est vieillir !* " *Voyez plutôt : On est trop gros, la tête*
reste jeune, la peau tendue. Celui qui juge et qui examine se dit :
" *Elle est vieille... mais, peut-être pas, après tout. Le visage semble*
jeune. C'est parce qu'elle est si grosse qu'elle semble vieille. " *Et le*
tour est joué... »

Mes yeux cherchèrent ceux de l'enfant, nous échangeâmes un sourire amusé : quel tour et dans quel but ?

Au fur et à mesure que j'avançais dans ma lecture, je
ressentais cette perplexité que j'avais si souvent éprouvée
devant ses déclarations emphatiques. Pas une seconde l'idée
ne l'effleurait de la banalité de l'histoire. Pas davantage ne
réussissait-elle à prendre la moindre distance envers son
personnage. L'un après l'autre, elle dévidait tous les poncifs
sur la duplicité, la trahison des hommes. Lui arrivait-il de
jeter un regard en arrière pour examiner sa propre vie ?

L'ironie écartée, quelque chose me retenait dans ces
pages. La fureur de l'invective, l'amertume et la vindicte
trahissaient la profondeur de la blessure. L'unique homme
en qui j'ai mis ma confiance, le seul dont l'affection me
semblait certaine, inébranlable : et il se révèle pareil aux
autres ! hurlait chaque feuillet.

De cette déception, faite plus de vanité que d'amour, elle
tirait une conclusion passablement éculée : l'amour, ce

135

qu'on appelle ainsi, n'existe pas. Pour cimenter un couple, il n'y aurait que deux réalités, le sexe et l'argent.

Les mots frémissaient de dépit, les phrases tremblaient de fatigue. Elle enrageait de découvrir qu'elle n'avait plus la force de faire ce qu'elle eût, dans le passé, accompli sans hésiter : tout plaquer, fuir. Mais pour où aller ? s'interrogeait-elle. Pour quel recommencement ? Elle ne se pardonnait pas de se sentir enchaînée à son âge. Sa philosophie sur l'amour exprimait son horreur de la vieillesse.

Dans ce long cri, je la retrouvais. Toute sa vie, elle avait plaqué les hommes avant qu'ils ne s'avisent de l'abandonner. Pour la première fois, elle se sentait, sinon à leur merci, du moins ligotée à leurs humeurs. Elle refusait cet esclavage, se prenait à rêver d'un nouveau départ, puis, constatant que ses forces la trahissaient, éclatait en fulminations. Lasse de se débattre, elle se raccrochait à une sorte de stoïcisme altier, qui sonnait comme un défi : « *Lutter et lutter encore, dire non à la totale déchéance. Ce ne sera pas facile, ni, peut-être, même pas possible ; mais j'essayerai, en fermant bien les poings, en ouvrant grands les yeux. J'essayerai jusqu'au bout.* »

Mon regard rencontra celui de Xavier. C'est cette force et cet orgueil que l'enfant avait toujours aimés en elle. Il éprouvait une vague fierté qu'elle eût résisté en effet, poings serrés, les yeux grands ouverts, jusqu'à la dernière limite.

Une plainte nous retint et nous restâmes un long moment à en suivre, dans nos cœurs, l'écho étouffé : « *Ma vie, ma vie... Où est-elle, ma vie ? Où était-elle, en définitive ? À quel moment lui ai-je tourné le dos ?* »

Candida faisait alors un retour sur sa jeunesse, pour évoquer son premier mari : « *L'importance de cet homme " très légal ", mais dont la présence fut si courte, m'apparaît maintenant comme décisive dans tout ce qui s'est passé par la suite. Son importance* pour moi (sic). *Il fut celui qui me libéra de l'enfer familial, celui qui ouvrit la cage à l'oiseau...* »

Elle l'avait souvent calomnié. À l'en croire, il l'aurait violée, spoliée.

« *Quand nous allâmes, bien amicalement, voir un notaire pour me faire donner des " procurations ", pour me rendre " libre ", je faillis tomber amoureuse de lui.* »

Elle écrivait cela en 1970, dans la résidence de Saint-Cloud et dans sa maison des Ardennes. Trois ans plus tard, elle changera encore de version, noircira à nouveau cet homme qui, devant sa résolution, s'était incliné, sans exercer la moindre pression.

« *Il signa tout..., renonçant d'un trait de plume vigoureux à des avantages économiques évidents, en plantant tout là, suivant mon désir.*

« *Il est resté ainsi, au fond de ma mémoire, un souvenir bon et chaud, une petite pointe d'admiration, un vague regret.* »

Plus loin, elle ajoutait que jamais elle ne regretta sa révolte et qu'il lui semblait que, en défiant l'ordre social, en affrontant le scandale, elle avait conquis sa liberté. Ces contradictions, l'enfant et moi les comprenions. Nous l'admirions d'avoir osé ce que peu de femmes, en ces années-là, avaient osé. Était-ce sa seule faute si elle n'avait pu préserver cette belle indépendance ?

Je regardai furtivement Félix, plongé dans ses albums de photos, souvenirs d'une vie de couple ordinaire : la croisière aux Açores avec le bal costumé, les vacances en Italie, la grande salle de la ferme, dans les Ardennes.

J'imaginais le tête-à-tête entre Candida et lui, dans cette lourde bâtisse cernée par la forêt. Se doutait-il à quel point elle le haïssait de n'être pas la plus forte, de ne plus le dominer, d'avoir, fût-ce dans l'imagination, perdu son emprise absolue sur lui ? Lui avait-elle pardonné avant de mourir ?

Il suffisait de le voir et de l'entendre pour constater qu'il avait vécu abîmé, noyé dans son amour pour elle. S'il l'avait trompée, cela n'avait dû être qu'une brève aventure, un de ces écarts comme il arrive aux plus fidèles d'en commettre. Pour elle, cependant, cette entorse invalidait le pacte qu'elle avait passé avec lui. Il avait trahi la confiance qu'elle avait, pour la première fois, fini par accorder à un homme.

Je me posai la question : si elle l'avait aimé, ce qui s'appelle aimer ? S'il avait raison contre nous tous ? S'il l'avait mieux et plus intimement connue qu'aucun de ses fils ?

« Regarde comme elle a l'air heureuse ! Je ne lui refusais rien, les plus grands hôtels, les meilleurs restaurants.

« À Rimini, j'ai failli me battre avec une bande de jeunes imbéciles qui se moquaient d'elle parce qu'elle était déjà devenue un peu forte Ils n'ont pas recommencé, tu peux me croire ! »

Il insistait pour que j'emporte ces reliques et je me défendais en lui disant que j'étais, chez moi, débordé de paperasses.

Plusieurs fois, j'avais dû revenir en arrière dans ma lecture pour m'assurer que ce texte passionné avait bien été écrit en 1970, par une femme de soixante-cinq ans. Elle y donnait des précisions d'une crudité gênante, avouait que, oui, il évitait de la toucher, se tenait, dans le lit, loin d'elle. Elle était grosse, certes, mais, plaidait-elle, son visage restait beau, ses mains et ses pieds d'une petitesse et d'une finesse ravissantes. Vers la fin, la réconciliation avait lieu, dépeinte avec une abondance de détails scabreux ; les deux époux roulaient paisiblement vers leur ferme ardennoise, parmi les bois ; ils bavardaient comme ils l'avaient toujours fait. « *Rien*, écrivait Candida, *rien ne sera plus comme avant.* »

J'étais content que Félix n'eût jamais lu ces pages.

IV

Au restaurant, j'orientai la conversation sur le départ pour l'Espagne, en 1951. Félix pensait-il que Candida reviendrait ?

« Quand on aime, dit-il, on ne se pose pas tant de questions. Tout ce que je voulais, c'est qu'elle soit heureuse. Je pensais qu'auprès de Carlos, elle serait choyée. C'était son milieu, après tout. Moi, je suis un ouvrier. Mes moyens ne me permettaient pas de lui faire la vie qu'elle méritait. Elle avait assez roulé sa bosse, elle avait traversé la guerre, connu la prison, le camp, l'exil. J'aurais été content de la savoir dans sa famille, enfin tranquille. Bien sûr, quand elle m'a appelé, je suis parti aussitôt, sans me soucier de rien...

« Les humains sont bizarres », dit-il avec son rire en saccades.

C'était aussi simple que ça : il acceptait tout d'elle, il était même résigné à la perdre, si son bonheur en dépendait.

« Quand je l'ai retrouvée, dis-je, elle travaillait porte de Pantin. Dix ans plus tard, je l'ai revue avenue de Villiers, près de son nouveau bureau.

— Là, c'était une caisse de retraites. Elle s'occupait du contentieux. Elle n'aimait pas ce boulot qui consistait à relancer et à poursuivre des commerçants en retard de leurs cotisations. Elle leur écrivait en douce, leur conseillait ce qu'ils devaient faire pour arrêter la procédure. Elle avait bon cœur, elle était toujours prête à s'apitoyer et à rendre service. Naturellement, on a découvert le pot aux roses en trouvant les brouillons des lettres, qu'elle jetait dans la corbeille. Elle était naïve... »

Était-ce bien le mot qui convenait?

« Elle a travaillé longtemps dans cette caisse? demandai-je.

— Cinq ou six ans, je ne sais plus. Nous avons acheté l'appartement de Saint-Cloud. Elle gagnait bien sa vie. Elle a toujours travaillé. C'était une femme courageuse.

— Elle est pourtant repartie en 62, non?

— En Angleterre, à Leeds. Professeur d'espagnol dans un collège privé, dirigé par les religieuses qui l'avaient élevée à Madrid. »

Ce voyage faisait suite à notre entretien au lycée Jacques-Decour.

Je me demandai si Félix connaissait les motifs de cet exil. Il me détestait alors, me soupçonnait de m'acharner contre elle.

Malgré sa vindicte et ses emportements, l'enfant n'avait jamais ressenti d'animosité pour Félix. Il comprenait sa violence, qui était celle du désespoir. Félix *devait* croire tout ce que Candida lui racontait, comme lui-même, dans ses premières années, prenait ses fabulations pour parole d'évangile.

L'écrivain se serait-il passionné pour elle si Candida n'avait été que sa mère? L'avait-elle jamais été? Il n'avait connu qu'une jeune femme aux abois, qui fuyait dans ses chimères une réalité qu'elle ne maîtrisait plus. De chambre d'hôtel en garni, toujours entre deux identités aléatoires, Candida n'était qu'une silhouette floue,

140

un fantôme. Comme ses paroles mentaient autant que son apparence, brune ou blonde, et que son nom et son identité, je n'avais jamais eu une personne réelle en face de moi.

En un sens, Candida avait toujours été pour moi la plus énigmatique des femmes. Nous n'avions vécu que neuf ans ensemble, dont il aurait fallu retrancher le temps des séparations et des absences, la perplexité des premières années où la mémoire flotte, indécise et brumeuse. Que restait-il, au bout du compte ?

Candida était une nostalgie et c'est cette nostalgie que je poursuivais de livre en livre.

Depuis nos retrouvailles, en 1955, cette quête avait changé de sens. En la revoyant, en l'écoutant parler, en reconstituant les épisodes de ses vies passées, je finis par comprendre que Candida ne relevait pas du domaine de la réalité. Elle devint une créature illusoire, une pure fiction.

Dans ces divagations exactes, l'enfant me soufflait ses impressions et ses mélancolies. Lui-même avait renoncé à jamais appréhender une *vérité vraie*, pour employer ses mots. Il n'attendait pas de moi que je lui révélasse un secret. Il me demandait de le nourrir de récits justes, autant dire inexorables dans leur déroulement. Très vite, il s'était piqué au jeu ; rien ne le divertissait comme cette partie de cache-cache avec la réalité. Il jubilait de suivre les glissements subtils, les modifications imperceptibles.

Ces métamorphoses, il les observait maintenant dans la vie. Il étudiait comment les gens, avec une naïve bonne foi, procèdent à cette transfiguration du passé, bâtissent, jour après jour, un mémorial qu'ils croient fait de leurs souvenirs, quand il s'agit d'un monument de rêves et d'illusions, le mausolée de leurs nostalgies.

« Elle a habité longtemps Leeds ? dis-je.

— Deux ans environ. J'allais la voir. Elle avait un ami, le père Faller. Je m'entendais bien avec lui. Elle habitait un cottage, avec un jardin. L'endroit me plaisait. »

J'évitai de regarder l'enfant. Nous l'imaginions, *elle*, à Leeds, dans son cottage.

« Pourquoi n'y est-elle pas restée ?

— Le climat. Elle ne supportait plus l'humidité. Elle souffrait d'arthrose.

— Elle est rentrée à Paris ?

— Oui, à Saint-Cloud. Heureusement, j'avais été prudent, j'avais gardé le studio de la rue Portefoin. Parce qu'elle a encore fait des bêtises. J'ai dû travailler trois ans pour effacer l'ardoise.

— C'était si grave ?

— Nous avions acheté l'appartement avec des emprunts, je ne sais plus ce qu'elle avait encore fabriqué. Elle ne pouvait plus payer. C'est toi qui l'as tiré de ce mauvais pas, elle me l'a avoué des années plus tard. »

J'avais été stupéfait et furieux de recevoir une lettre d'elle, avec une adresse parisienne. Je pensai avec découragement que les cabales et les calomnies allaient reprendre. Je me rendis à Saint-Cloud de fort méchante humeur. Je la trouvai dans un appartement clair et confortable, au rez-de-chaussée d'une résidence moderne qui dominait la Seine et le bois de Boulogne. Je n'entendis rien à ses explications embrouillées, sauf qu'elle avait dépensé l'argent que Félix lui avait remis pour le règlement du crédit.

« S'il l'apprend, il me tue.

— Tu exagères.

— Évidemment, j'exagère ! dit-elle dans un éclat de rire

142

complice. N'empêche que c'est grave. Je ne peux pas lui avouer la vérité, il ne supporte pas d'avoir des dettes.

— Moi non plus, dis-je.

— Dans mon milieu, on ne vivait que de ses dettes.

— Mauvais milieu.

— À qui le dis-tu? J'ai vomi mon enfance, mon adolescence.

« Après tout ce qui s'est passé entre nous, j'ose à peine... Je te le rendrai, je te jure.

— Je ne prête jamais, je donne. Tu as besoin de combien? »

Elle murmura un chiffre d'une petite voix honteuse. C'est la première fois que je la voyais rougir. Je remplis le chèque, le lui tendis. Un moment, elle le tint entre ses doigts, l'examina avec attention, releva ses yeux.

« Je ne croyais pas que tu ferais ça pour moi. Je n'ai pas toujours été...

« Tu vois, dit-elle très vite, je suis rentrée. L'Angleterre me tuait à petite pluie. Et puis, Leeds, c'est affreux. Tu connais?

— Non.

— Ça ne gagne pas à l'être, je veux dire connu.

« Sois tranquille, je suis calmée à tout jamais. »

Je prétextai un rendez-vous, marchai vers la porte. Brusquement, elle m'attira sur sa poitrine.

« Qu'est-ce qui nous est arrivés, mon petit? Cette guerre aura tout bousillé.

— Sans guerre, tu aurais déclenché un conflit à toi toute seule. »

Elle partit à nouveau d'un rire qui la secoua de la tête aux pieds.

« Tu as sûrement raison. Je n'arrive pas à me faire à ce foutu monde. »

Quinze ans plus tard, elle évoquera cette heure dans

une de ses lettres : « *Bien des choses se sont produites aussi depuis que nous nous sommes perdus de vue, doucement, bêtement, je parle de ta dernière visite à Saint-Cloud, dont je rougirais un peu, pour autant que l'on peut rougir d'avoir à lutter chaque jour que Dieu fait.* »

Croyait-elle que ce chèque fût la cause de mon éloignement ? Elle oubliait qu'elle n'avait pu s'empêcher de reprendre ses cancans, de se répandre en ragots si indignes que des étrangers lui avaient fait remarquer leur indécence. Ma vie privée, mes mœurs, tout y passait. Une fois de plus, je me réfugiai dans l'absence.

Calmée ? D'autres l'étaient moins qui avaient appris son arrestation à Madrid et n'avaient pas manqué de faire des rapprochements troublants. Elle comprit que l'affaire, cette fois, risquait de mal tourner, prit la fuite aux Antilles, toujours auprès des mêmes religieuses, qui avaient un établissement à la Guadeloupe.

« J'ai vendu tout ce que je possédais, racontait Félix. Je lui ai donné mes dernières économies. Il ne me restait même plus de quoi me rendre au Havre pour lui dire au revoir. J'y suis allé en stop, à bord d'un camion. Quand elle m'a vu sur le quai... Tu ne peux pas savoir, Michel ! Elle pleurait, se pendait à mon cou. " *Personne n'aurait fait ce que tu viens de faire.* " Je me rappelle chacune de ses paroles... J'ai regardé le bateau s'éloigner et je suis rentré à Paris, toujours en stop. »

Bouleversé, l'enfant le fixait avec un sourire de tendresse éperdue.

« Qu'est-ce qui s'était passé ?

— Des fous dangereux. Ils prétendaient qu'elle aurait parlé, à Madrid, donné des noms. Ils menaçaient de lui faire la peau. Je me suis battu avec l'un d'eux, j'ai même acheté un fusil.

144

— C'était faux ?

— Je ne veux pas savoir ! dit-il sèchement. Tu peux le jurer, toi, que tu fermerais ta gueule ?

— C'était sa troisième arrestation, dis-je pour moi-même.

— La quatrième, rectifia Félix, parce qu'il y a eu celle de Vichy, et l'autre, par les nazis.

— Elle t'en avait parlé ? dis-je avec un haut-le-corps.

— Tu me prends pour un con ! Je vous ai entendus, une nuit, rue Portefoin. Vous pensiez que je dormais, dans l'alcôve, vous parliez à voix basse. En réalité, j'écoutais.

— Tu le lui as dit ?

— Je l'ai cuisinée sans en avoir l'air. Elle a tout de suite deviné. Tu sais, elle était loin d'être idiote.

— Je suis bien payé pour le savoir.

— Il faut la comprendre.

— Non, Félix, ça, je ne l'admettrai jamais.

— Elle connaissait ton sentiment. Souvent, elle répétait : " *Il y a des actions qui vous poursuivent, où qu'on aille.* " Tu vois, j'ai encore de la mémoire.

« Moi, je lui pardonne. Je connais son fond, tu comprends ? Elle a fait ça pour te sauver.

— Elle a eu deux ans, Félix, pour me renvoyer en Espagne, auprès de ma grand-mère, laquelle me réclamait. Elle aurait pu me confier à mon oncle, qui proposait de me mettre pensionnaire dans un collège où j'aurais été à l'abri.

— Tu ne comprends pas, dit Félix avec obstination. Une femme seule, traquée. Elle n'avait que toi à qui se raccrocher. Elle t'aimait.

— L'amour qui assassine n'est pas de l'amour, Félix. C'est de l'égoïsme. »

L'enfant regardait autour de lui, observait les clients, suivait des yeux les serveurs. L'écrivain aurait juré qu'il avait tout entendu. Prenait-il ces mêmes airs distraits pendant qu'on discutait de son sort ? Qu'avait-il saisi de ces tractations scandaleuses ? Dans quelle mesure avait-il compris ce qui se tramait ?

Xavier s'était arrangé pour ne pas entendre. Il y avait des mots qu'il ne voulait ni écouter ni dire. Il n'avait rien compris alors, tout juste qu'ils seraient séparés l'un de l'autre. Il ne comprenait pas davantage aujourd'hui. C'était comme un mauvais rêve dont il finirait par se réveiller. Il refusait même que le scribe vît son regard et il le tournait en tous sens cependant que, sous la nappe, ses pieds se balançaient. Il mourrait avec ce silence en lui. Cinquante ans avaient passé : il ressentait toujours la brûlure de la honte.

« Elle a vécu deux ans aux Antilles, dis-je.

— Je lui ai fait une surprise qui lui a causé un véritable choc, poursuivit-il en négligeant ma question. Elle s'était embarquée le lendemain de son anniversaire, le 23 décembre. La nuit de la Saint-Sylvestre, à minuit tapant, alors qu'elle soupait à la table du commandant, le haut-parleur a diffusé un message : " *M. Bouguet souhaite à sa femme une bonne et heureuse année. Il lui dit son amour.* " Elle m'a écrit une de ces lettres, quatre pages mouillées de larmes. »

Je vis le visage de l'enfant.

« Non, lui dis-je, non. Ce ne serait pas bien, Xavier, même pour lui. Il a une fille. Nous ne pouvons pas nous charger de toute la misère du monde.

— Juste pour les fêtes, dit-il de sa voix enjôleuse.

— Tu sais bien que, s'il vient pour les fêtes, il restera.

— Il va les passer tout seul ?

— Xavier, je t'en prie. Je suis fatigué. Je fais tout ce que je peux. Ne m'en demande pas trop.

— Je ne veux pas que tu sois fatigué à cause de moi.

— Ce n'est pas à cause de toi. C'est toutes ces vies qui n'en sont pas.

— Tu es triste ? dit-il avec douceur.

146

— Non, mon bonhomme, non. Vidé. J'ai pas mal travaillé depuis deux semaines.

— Tu as fait un boulot formidable !

— Nous l'avons fait ensemble.

— Moi, je n'ai rien fait que rêvasser. J'ai toujours la tête dans les nuages. »

V

Chaque soir, nous raccompagnions Félix et montions avec lui dans l'appartement pour l'aider à passer le cap de l'insomnie.

Je repris ma place derrière la table, me plongeai dans les papiers. Selon son habitude, l'enfant se glissa au fond de la pièce, dans l'angle. De lui-même Athos avait aussitôt sauté sur ses genoux et, saisissant une brosse, Xavier le peignait délicatement, démêlant sa fourrure. Je savais qu'il pourrait rester des heures à bavarder avec le yorkshire.

Du fond de sa léthargie heureuse, l'enfant n'en écoutait pas moins les phrases que le scribe déchiffrait. Entre eux, une communion fervente s'installait. La présence de son double aidait l'écrivain à se concentrer. Le silence s'étalait autour d'eux, les isolait, leur faisait comme un rempart où quelques bruits, parfois, se détachaient, amortis.

Soudain, l'enfant fut tiré de sa torpeur par une brusque commotion de bonheur, une joie aussi brutale qu'ineffable le transperça. C'était comme si sa vie s'était illuminée et que son sens caché lui fût apparu dans un éblouissement. Cela se produisit au moment où l'écrivain, après avoir rangé les papiers de Candida dans les cartons d'archives, prit et ouvrit deux manuscrits d'Aldo, qu'il feuilleta d'abord distraitement, comme il faisait toujours avant de se plonger dans sa lecture. Semblables à ceux que son double déplaçait, biffait ou corrigeait, ces mots n'avaient rien de bien extraordinaire. Derrière eux, l'enfant entendit la voix du mort, son souffle fiévreux, et il comprit, en un instant, que l'écrivain touchait au terme de son interminable voyage. Toutes les voix désormais résonneraient en lui. Elles le confirmeraient dans ses intuitions, elles lui délivreraient, non pas la vérité, mais la plénitude de son travail. Elles conforteraient et justifieraient son existence, le consoleraient de ses échecs, rempliraient sa solitude.

L'enfant retint un cri de triomphe et de délivrance en voyant son double glisser chaque feuillet à sa place nécessaire, en le regardant souligner les répliques qui, tout naturellement, viendraient se mettre à l'endroit choisi. Tout était, non pas fini, mais achevé. Il ne restait qu'à signer le tableau, à l'accrocher au-dessus de l'autel, dans cette chapelle élevée à la mémoire. Le souvenir toutefois ne renvoyait pas au passé : il poussait vers l'avant, vers un futur qui était le sens de cette quête poursuivie depuis des années. Il se chargeait, non de la nostalgie des choses évanouies, mais d'une obscure espérance.

« " *Tout le monde ne peut naître deux fois,* avait écrit Aldo en 1974, après qu'il eut retrouvé Candida. *Simplement, véridiquement : deux fois.*

« " *... Il naquit une première fois là-bas, de l'autre côté des montagnes, sur une terre espagnole, d'un père et d'une mère espagnols... Il naquit une deuxième fois sur une terre française, d'une vieille demoiselle française assoiffée de tendresse, qui n'avait jamais péché.* " »

Aldo ne soufflait mot de son frère aîné, Andrès. Je n'en trouvai pas non plus la moindre allusion dans les pages suivantes. Se rêvait-il enfant unique ?

« " *La nouvelle mère d'Erma...* " »

— Pourquoi il l'appelle Erma ? dit l'enfant.

149

— C'est l'anagramme de Mare, la mère. Sa seconde naissance a eu lieu à Biarritz, au bord de l'Océan.

« " *La nouvelle mère d'Erma,* poursuivis-je, *était en fait trois, comme la Sainte Trinité. Trois vieilles demoiselles dont l'éducation avait été menée d'une main ferme vers tout ce que l'on croit bon et aimable à Dieu... L'aînée s'appelait Andrée, Jeanne la puînée et Claire la cadette.* "

« C'étaient leurs vrais noms ? dit Xavier, manifestement fasciné.

— Oui.

— Pourquoi il dit *d'une main ferme* ? Leur père était dur ?

— Elles n'avaient plus de père, mort alors qu'elles étaient encore très jeunes. C'est leur mère qui les a élevées. Une femme pieuse et austère. En 1927, elle vivait encore, déjà malade, toujours alitée. Aldo raconte que c'est dans sa chambre, en la voyant lire ses journaux et ses revues, répandus sur le lit, qu'il a lui-même appris à déchiffrer, sans savoir comment.

— Moi aussi, tu te souviens, j'ai appris à lire sans savoir comment. Je me rappelle seulement que, à cinq ans, j'ai demandé aux Rois Mages *Les Contes des Mille et Une Nuits* que je dévorais dans mon lit en attendant le retour de Candida.

« Qu'est-ce qu'elles faisaient ces trois demoiselles ? dit-il d'un ton rêveur.

— Elles louaient des chambres de leur villa à des pensionnaires qu'elles triaient soigneusement.

— Elles choisissaient des riches ?

— Non, elles sélectionnaient des pensionnaires de haute moralité, sans doute sur les conseils de leur curé.

— Elles étaient très pieuses ?

— Plus que ça même. Dévotes. Dans leurs lettres à Candida, on ne trouve que des prières à Notre-Dame du Bon Secours, à la Vierge de Fatima, au Sacré-Cœur. Elles les lui recopiaient pour qu'elle les récite.

— Tu crois que Candida les lisait ?

— Je ne pense pas, non, dis-je avec un léger sourire. Ou alors, distraitement.

— Tu les vois comment, toi, ces trois mères ?

— Comme les cousines de Rémy, tu sais, les trois sœurs Ballut.

— Celles qui tricotaient leurs robes et se privaient de tout pour distribuer leur argent aux bonnes œuvres ?

— C'est ça, oui.

— Ce sont des saintes ?

— Je ne sais pas. Elles suivent les règlements de l'Église, vont à la messe, se confessent, récitent leur chapelet.

— Pourquoi, si elles étaient si pieuses, ont-elles pris les deux enfants ? Candida, elle avait fait un péché en plaquant son mari et en vivant ostensiblement avec un amant, non ?

— Tu n'es pas bête, toi, dis-je avec un sourire.

« Cela a dû être pour elles un *cas de conscience*. Elles ont sans doute consulté leur confesseur, elles ont prié. Ce qui a probablement emporté leur décision, c'est la pensée que les enfants étaient innocents et qu'elles feraient une bonne œuvre en les enlevant à un milieu qu'elles jugeaient corrompu.

« De plus, dis-je, elles n'étaient pas riches. Ta grand-mère proposait une somme coquette ainsi qu'un prix de pension confortable. Et puis, n'oublie pas qu'il s'agissait d'une solution provisoire, deux ou trois ans au plus, le temps que l'ouragan s'apaise.

— Quel ouragan ?

— Entre Nino et Candida, il ne s'agissait pas d'amour mais d'une passion furieuse. Ta grand-mère était opposée à cette liaison, qu'elle jugeait néfaste, et, de son côté, la famille de Nino y était également hostile. Le couple courait de ville en ville. Nino buvait, devenait violent, frappait Candida.

— Elle était malheureuse ?

151

— Non, dis-je. Elle vivait un grand roman d'amour et de passion.

— C'est bizarre, tu ne trouves pas?

— Cela arrive tous les jours.

— Mais les petits, où ils étaient?

— Confiés aux domestiques, livrés à eux-mêmes. C'est pourquoi ta grand-mère a pensé qu'ils se trouveraient mieux dans un milieu stable, au grand air.

— C'était gentil, non?

— C'était sage.

— Candida était d'accord?

— Elle a fini par s'y résoudre. Elle est partie pour Biarritz avec les enfants et leur nourrice.

— Elle allait les voir?

— Les premières années, oui. Les trois demoiselles et les enfants l'appelaient la Mamita. Ils la considéraient cependant avec un brin de méfiance. À leurs yeux, elle avait *mauvais genre*. Trop maquillée, les ongles peints d'un rouge violent, parfumée, attifée de toilettes extravagantes. De son côté, Candida ne se montrait pas non plus très aimable à leur endroit.

— Elle ne les aimait pas?

— Elle avait l'impression d'avoir cédé à sa mère, qui lui avait un peu forcé la main. Elle n'aimait pas s'incliner.

— C'est vrai! dit l'enfant en riant. Elle ne supportait pas qu'on lui résiste.

« Qu'est-ce qu'il s'est passé ensuite?

— Eh bien, les gosses ont pu se refaire une santé. Ils fréquentaient l'école, pêchaient dans les criques, au pied de la falaise, jouaient dans le jardin.

« Il y a tout de même eu des frictions.

— Pourquoi?

— Les trois mères se sont aperçues que, chaque fois que la Mamita visitait les enfants, ceux-ci paraissaient ensuite nerveux, fébriles. Elle les étreignait, les embrassait, pleurait. Elles ont donc conseillé d'espacer ces rencontres et, dorénavant, ta grand-mère s'arrangeait pour accompagner Candida.

— Elle n'a pas dû être contente !

— Sûrement pas. Et elle ne devait pas se gêner pour le montrer. Elle s'enfermait dans le mutisme, toisait les trois pauvres sœurs.

— Elle était sûrement jalouse, dit rêveusement l'enfant. Elle a toujours été jalouse.

— Humiliée aussi. Sa mère ne lui faisait aucune confiance pour s'occuper de ses enfants. Déjà elle avait pris en charge l'éducation de Carlos, après le départ du père pour Saint-Domingue.

— Elle n'avait pas tort, lâcha l'enfant avec un regard de mélancolie.

— Non. Mais ce n'était pas facile à vivre pour Candida.

— C'est sûrement pour ça, poursuivit Xavier, que moi, elle n'a jamais voulu me lâcher et qu'elle m'a traîné partout.

— C'est probable, oui. Tu es le seul qu'elle ait tenu à l'écart de sa mère.

— Jusqu'à quand elle est allée les voir à Biarritz ?

— Régulièrement, jusqu'en 1930. Des visites de plus en plus espacées ensuite, jusqu'en 1935.

— Il avait quel âge, Andrès ?

— Neuf ans. »

J'avais parlé sans réfléchir. Je regrettai aussitôt le choc que, sans le vouloir, mes paroles avaient causé à Xavier. Comment n'aurait-il pas fait le rapprochement ?

VI

Nous étions restés un long moment sans parler, moi compulsant nerveusement mes liasses, lui caressant le yorkshire.

Dehors, on entendait la pluie gratter contre les vitres.

« Tu sais, c'est un hasard, finis-je par dire timidement, pour rattraper ma gaffe.

— Oui, sûrement, murmura l'enfant.

« Et ensuite ? demanda-t-il d'une voix lasse.

— Candida a rompu avec Nino. Pour se changer les idées, elle est partie vivre à Paris, où elle a rencontré ton père. Elle s'est si bien changé les idées qu'elle a oublié.

— Tout à fait ?

— Tu sais comment elle était, Xavier. Elle avait par moments des bouffées de tendresse, se jetait sur sa plume, écrivait de longues lettres.

— Qu'est-ce qu'elles devaient bien penser d'elle, les trois demoiselles ?

— Pas beaucoup de bien, d'autant que Candida revenait parfois à Biarritz avec notre père. Ça faisait beaucoup pour ces pieuses femmes. Un amant, c'est un accident ; plusieurs, ça devient une habitude.

— Tu penses que Candida a parlé des deux enfants à mon père ?

— Il était au courant de leur existence, oui. Elle avait dû arranger la vérité, bien sûr, selon son habitude.

— Il est allé les voir avec Candida? demanda l'enfant en poursuivant sa pensée.

— Deux ou trois fois, oui. Ils ont même habité la villa voisine, sur le plateau du phare.

— Tu te souviens, dit l'enfant d'une voix changée, les étés que tu passais avec Rémy sur la Côte basque? Vous alliez vous baigner à la Chambre d'Amour. Vous vous couchiez dans les dunes, à l'abri du vent. Pendant que vous bavardiez, je regardais le phare, les maisons, je pensais à ces deux gosses.

— Tu ne connaissais pas leur existence, voyons! Tu inventes.

— Je te jure que non! D'ailleurs tu l'as écrit à Antón, à Huesca, en 1952.

— Je lui ai écrit quoi?

— Pour les deux enfants, tout, quoi...

— Mais, protestai-je en fixant sur l'enfant un regard d'épouvante, mais je ne *savais* pas!

— Moi, je savais, chuchota Xavier en baissant la tête d'un air vaguement honteux.

« Leur existence, je ne la connaissais peut-être pas, mais je la *savais*. Je l'ai toujours sue. Grand-mère, ma nounou, les domestiques, tout le monde en parlait autour de moi. Je crois que c'est à cause de ça que j'ai toujours eu peur de Candida. »

Il avait parlé avec un tel sérieux, une telle concentration, comme s'il avait pesé chaque mot, que je gardai un instant le silence.

« Tu es sûr de ce que tu dis?

— J'ai regardé une fois ta correspondance, j'ai retrouvé ta lettre.

— C'est fou! criai-je presque. Tu n'avais pas six ans, comment aurais-tu pu comprendre?

— Tu en reviens toujours aux idées, dit Xavier. Je ne comprenais pas à la manière dont tu l'entends. Un malaise plutôt, une angoisse diffuse. »

Je repassai dans ma mémoire cette phrase que j'avais écrite dans mon précédent livre : « *La langue connaîtrait-elle ce que la conscience refuse ?* » Certains n'y avaient vu qu'une formule. Pour eux, les mots relèvent de l'expérience. Dans mon cas, la langue exprimait ma vérité. D'elle je tenais mon existence. Je n'étais pas écrivain comme on est plombier ou menuisier. Je n'étais que dans la mesure où j'écrivais. Ma vie, qui m'avait échappé, était contenue dans les mots. En les creusant, c'est la mémoire de la langue que je retrouvais.

Félix, qui n'entendait pas notre conversation, allait et venait, déplaçait des objets, remuait des livres.

« Tu crois qu'ils étaient heureux avec les demoiselles ? interrogea l'enfant.

— Je pense, oui. Ils marchaient le long des plages, ils avaient des copains.

— Pourquoi on les a séparés ? demanda l'enfant avec la même mélancolie.

— La mère des demoiselles est morte, en 1932. Ensuite, il y a eu la crise économique, la dépression. L'aînée, qui était professeur, est partie enseigner aux États-Unis, dans un collège du Maine ; la deuxième, Jeanne, a trouvé un poste de préceptrice, dans une famille catholique du Devon, en Angleterre.

— C'est pour ça qu'on a toujours dit qu'elles étaient anglaises ?

— En fait, elles étaient originaires de Fontainebleau.

— Grand-mère ne payait plus la pension ?

— C'est Candida qui aurait dû la régler. Elle le faisait... à sa manière. »

L'enfant hocha la tête.

156

« Tu es fatigué ? dis-je.

— Non, j'aime bien quand tu me racontes des histoires. Seulement, c'est triste. Je pense à Andrès. Il a dû se sentir abandonné une deuxième fois, tu ne crois pas ?

— Il n'a pas dû comprendre. Il semble pourtant que le médecin qui l'a recueilli était très attaché à lui.

— Les deux frères se voyaient ?

— Je crois. Mais, en 1935, Claire a quitté Biarritz en emmenant Aldo.

— Pourquoi est-elle partie ?

— La crise toujours. Les pensionnaires se faisaient rares, l'argent de la pension n'arrivait plus. Elle a été nommée directrice d'une école privée dans la Nièvre, à Saint-Parize-le-Châtel.

— Tu connais ce village ?

— Non, ni non plus la Nièvre. Je t'y emmènerai un jour. Nous regarderons les lieux, nous visiterons la campagne.

— Aldo était triste d'abandonner la Côte basque ?

— Je crois qu'il n'a jamais aimé Biarritz.

— Parce que ça lui évoquait un mauvais souvenir, dit l'enfant.

— Parce que tout le monde savait qu'il était un bâtard. À l'école, ses petits copains ont dû lui faire des réflexions. Les enfants sont rarement tendres entre eux.

— Moi, protesta Xavier, j'ai toujours été gentil avec ceux qui n'étaient pas comme tout le monde !

— Tu n'étais pas un enfant. Un petit vieux, espiègle et farceur, ajoutai-je en riant.

— Il s'appelait comment ?

— Eh bien ! C'est ça qui était le plus dur. Les trois demoiselles ne savaient pas mentir. Elles lui donnaient donc le nom de son père et c'est sous ce nom qu'il a fréquenté l'école, si bien qu'il était très fier de porter un vieux nom. Tout a bien marché tant qu'il était enfant.

— À Saint-Parize aussi, il portait ce nom ?

— Bien sûr. Tu sais, les personnes très pieuses font parfois le mal en voulant trop bien faire. Elles auraient cru commettre un péché en occultant ce qu'elles savaient.

— Mais tu m'as raconté que ma grand-mère l'avait fait inscrire à l'état civil sous le nom de Martinez !

— Et, lors de son baptême, son père lui avait donné la première moitié de son nom. Pour Claire, seule comptait la déclaration faite devant l'Église.

— Cela lui faisait trois identités, murmura Xavier. C'était dur, dans sa tête, non ?

— Plus tard, ce sera très dur, oui. Mais, durant son enfance, il ne se posait aucune question. Il attendait le retour de sa Mamita, il rêvait de son père. Il s'imaginait fils d'une princesse et d'un roi.

— Sérieusement ?

— Il a commencé très tôt à s'inventer une vie.

— Comme nous, dit l'enfant.

— Nous, nous remplissions les vides, nous comblions les lacunes. Aldo, lui, n'avait rien. De vagues apparitions, l'image d'une femme jeune, jolie, élégante, qui surgissait au bout du jardin, écartait ses bras, le serrait contre sa poitrine, le baisait en pleurant. Puis, qui disparaissait. Il avait tout à inventer, puisqu'il ne disposait de rien. »

L'enfant se tut, baissa la tête pour caresser le chien. Tout petit, il avait déjà cette faculté de sympathie. Il se réjouissait et souffrait avec les gens, éprouvait leurs sentiments, rêvait à leur vie.

« Il est resté combien de temps dans ce patelin ?

— Quatre ou cinq ans. L'été, il revenait à Biarritz avec Claire, Jeanne les rejoignait pour les grandes vacances. Parfois, Andrée revenait aussi des États-Unis.

— Il retrouvait Andrès aussi ?

158

— Les demoiselles étaient trop à cheval sur ce qu'elles pensaient être leur devoir pour songer à les éloigner l'un de l'autre.

— Il était heureux dans la Nièvre ?

— À l'en croire, il a connu à Saint-Parize le véritable bonheur. Il y a rencontré un prêtre qu'il aimait beaucoup. Il a découvert la campagne, les bêtes, les champs et les bois. Il allait à l'école et il s'y est même fait un ami, qui fut sa première passion.

— Il s'appelait comment, son ami ?

— Bertrand. Il est devenu artiste peintre.

— C'est joli, Bertrand. Ils s'aimaient beaucoup ?

— Comme on s'aime à douze, treize ans, tu sais bien.

— Moi, je n'ai jamais eu d'ami, dit-il. Je vivais toujours seul. Je passais mes journées dans des chambres d'hôtel, dans des cinémas. J'aurais bien voulu avoir un ami.

« Il est resté tout le temps dans la Nièvre ?

— Non, en 1940, pendant la guerre, Claire est revenue à Biarritz. Il a passé un an comme interne chez les maristes, à Riom. Il a détesté le pensionnat, il n'aimait pas non plus les maristes, ni d'ailleurs ses camarades. Il y a fait sa communion solennelle, sa sixième, et c'est là aussi qu'il a commencé l'étude du piano.

— Il était fort, en classe ?

— Il réussissait sans presque travailler. Ses professeurs avaient un faible pour lui. Les profs adorent les élèves doués. C'est un détail curieux : Aldo séduisait tous ceux qui l'approchaient.

— Pourquoi dis-tu que c'est curieux ? Il était beau, intelligent, musicien : c'est normal, non ?

— Parce qu'il mentait et fabulait avec un aplomb stupéfiant et que personne ne lui en tenait rigueur. Dans une lettre, Claire raconte que ses professeurs et même un

159

prêtre lui avaient dit : " *Ne le grondez pas. Ce n'est pas bien grave. Ça lui passera. Il a trop d'imagination, voilà tout.* " On a l'impression qu'il attendrissait tout le monde.

— À cause de son charme ?

— Certainement. Parce que ses inventions amusaient et divertissaient aussi. Au fond, les gens s'ennuient tellement qu'ils sont reconnaissants à ceux qui les font rêver. Lui, vivait dans ses songes, il croyait à ses chimères.

— Il ressemblait à Candida.

— J'y ai pensé, vois-tu. La différence est qu'elle dissimulait, rusait, déformait. Elle savait néanmoins où était la vérité. Lui, vivait ses mensonges, il y adhérait, corps et âme. En un sens, il ne mentait pas. Il disait une vérité fausse.

— J'aime bien quand tu me parles comme ça. J'ai l'impression de te comprendre.

— Tu m'en vois ravi ! L'envers de cette séduction, c'était...

« Claire, encore, rapporte cet incident, survenu à Riom. Un prêtre lui aurait demandé : " *Mademoiselle, vous êtes-vous aperçue qu'Aldo ne sait pas faire la distinction entre le Bien et le Mal ? — Non,* aurait-elle répondu, stupéfaite, *je ne m'en étais pas aperçue.* "

— Tu penses que c'est vrai ? dit Xavier d'un ton redevenu mélancolique.

— L'anecdote, sans doute aucun. Claire n'aurait pas eu assez d'imagination pour l'inventer. Quant au propos, la suite semble l'avoir avéré. »

Il retomba dans le silence et je décidai de refermer le manuscrit.

« Tu ne veux pas que nous allions retrouver Rémy ? dis-je d'un ton enjoué.

— Tu crois qu'il nous attend ?

— Je pense, oui. En ce moment, il ne se couche pas tôt.

— J'aime bien quand il te taquine et te traite d'Espin-
goin.

— Toi aussi, il te taquine, dis-je.

— Non, de moi il ne se moque jamais, dit l'enfant avec
gravité. Il se contente de me regarder. »

VII

En partant, nous descendions des poubelles que nous disséminions dans tout le quartier. L'enfant portait les plus petites cependant que je traînais les plus grosses. Pour légères qu'elles fussent, elles n'en étaient pas moins lourdes pour Xavier, qui marchait penché, avec un déhanchement cocasse. Je retenais un rire en voyant sa frêle silhouette, qui m'évoquait celle de Charlot. Comme le petit homme, mon double trottinait vaillamment depuis des lustres, avec le même regard ahuri et le même sourire de tendresse.

Dans son travail d'éboueur, il déployait un zèle comique, évaluait du regard les hôtels et les immeubles les plus cossus pour y déposer ses ordures les plus rebutantes. Dans son esprit, elles passeraient ainsi inaperçues. Je le regardais s'arrêter pour déchiffrer les plaques des habitants, réfléchir, avant de repartir plus loin.

Nous tournions dans cet îlot, entre le square du Temple et la rue de la Verrerie, et nous manquions rarement de faire une halte rue Portefoin, devant l'immeuble où nous avions retrouvé Candida. Les impressions du passé se mêlaient à celles du présent, glissaient un nuage de brume entre la réalité et nous.

En 1955, nous venions de débarquer à Paris, nous étions comme assommés par le long voyage que nous venions de faire. Nous ignorions tout de la ville et de ses secrets et déambulions dans ces ruelles l'esprit rempli de nos lectures et de tous les films que nous avions vus en Espagne. Nous tentions de retenir ces noms : rue des Haudriettes, des Quatre-Fils, des Francs-Bourgeois, du Plâtre. Loin de nous aider à nous orienter, ces appellations poétiques nous dépaysaient davantage. Entre Prévert et Queneau, elles dessinaient une topologie onirique. Le décor baignait dans une pénombre magique, striée de lueurs jaunâtres. La proximité des Halles, avec son incessante agitation de camions, ses relents de marée, de fruits et de légumes macérés, de fleurs décomposées imprégnait l'atmosphère, d'une odeur de putréfaction, légèrement écœurante.

Alors que l'écrivain s'adaptait à sa nouvelle vie, balisait la ville de repères, l'enfant, lui, divaguait dans le Paris de ses rêves où, caressant le chat installé sur ses genoux, Mazarin écoutait le tumulte des émeutiers cependant qu'un d'Artagnan vieilli montait la garde dans une galerie déserte et silencieuse.

Nous sortions titubants de l'entresol de la rue Portefoin, soûlés par les papotages de Candida. Désorienté par les récits contradictoires de sa mère, l'enfant vacillait de fatigue et d'hébétude.

Dix ans plus tard, dans les années 70, nous marchions encore dans cet étroit village et suivions Candida après nos sorties au restaurant. Nous n'allions pas bien loin, à l'intérieur d'un périmètre s'étendant de la rue du Temple à la rue Vieille-du-Temple, ses limites extrêmes étant la rue de la Verrerie et la rue Portefoin. Plus loin, vers le nord, s'ouvrait la steppe de l'avenue de Bretagne, le désert d'Arabie vers le sud, c'est-à-dire la place de l'Hôtel-de-Ville et ses vastes étendues.

Courbée, essoufflée, Candida marchait à petits pas. Elle marquait de fréquents arrêts pour respirer, avec un bruit de moteur encrassé. Comme l'orgueil lui interdisait de reconnaître qu'elle se sentait épuisée, elle feignait de faire une pause pour nous parler, tournait vers nous son masque de jour en jour plus alourdi de fard.

À présent, nous hantions toujours les mêmes rues, remplies d'une population nouvelle. L'odeur aussi avait changé. Nous ne nous sentions plus au bord d'un océan au flux et au reflux chargés d'algues et de varech. Débarrassés de nos chargements, nous flânions, lestés d'une fatigue purement physique. Nous respirions avec avidité, vidions nos poumons de la poussière qui les obstruait, expulsions la pestilence qui remontait à nos bouches.

En arrivant chez Rémy, je me hâtais de procéder au rituel des ablutions.

Plusieurs fois, nous nous étions parlé au téléphone, Marie-Louise et moi. Sa voix s'apaisait, son ton s'adoucissait. Le choc avait été rude de découvrir, dans le même moment, le père qu'elle connaissait à peine et ce paysage de ruines et de décombres. Elle ne cessait de s'interroger : le laisser seul et livré à lui-même ? Elle le sentait incapable de faire face aux contraintes de l'existence. Usé, vieilli, ses forces déclinaient, son esprit chancelait. Comment réussirait-il à se nourrir, à s'habiller ? D'un autre côté, elle ne voyait pas non plus comment le prendre en charge.

« Il est capable de raconter n'importe quoi, vous l'avez constaté, répétait-elle. Et puis, que penseront les enfants en découvrant un pareil grand-père ? »

Que pouvais-je répondre, sauf prodiguer des conseils lénifiants ?

Elle insistait chaque fois pour que je lui rende une visite, me parlait de sa maison, de son mari. Comme j'avais, sans réfléchir, lâché qu'elle était maintenant sortie du tunnel, elle se récria d'une voix péremptoire :

« Mais je n'ai jamais traversé de tunnel ! J'ai eu une enfance parfaitement heureuse et normale, j'étais gâtée par ma mère et ma grand-mère. Nous habitions une maison très confortable. »

Je balbutiai des excuses. Elle avait sans doute raison.

Pour finir, elle décida de s'adresser à l'assistante sociale de l'arrondissement, qui viendrait visiter Félix et s'assurer qu'il s'en tirait. Je la verrai avant mon départ, promis-je.

« Naturellement, il ne veut pas en entendre parler. Il dit qu'il n'a besoin de personne. Selon ma mère, il a toujours eu un caractère difficile. Avec l'âge, cela n'a fait qu'empirer.

« Vous imaginez la situation, ajouta-t-elle, si je le prenais avec nous, alors que ma mère vit ici. »

À la fin de nos bavardages, elle semblait détendue. Je raccrochais avec un sentiment de mélancolie.

Des rêves énigmatiques troublaient mon sommeil. Réveillé vers deux ou trois heures, je restais les yeux ouverts, fixais le plafond. J'évitais de bouger pour ne pas déranger l'enfant qui, dans son sommeil, étreignait son oreiller.

Cette nuit-là, je sentis que l'insomnie ne me lâcherait pas. Après m'être assuré que Xavier dormait, je descendis l'escalier à vis.

Si l'affection de Rémy s'exprimait rarement par des paroles, elle se manifestait par des gestes. Je trouvai un billet de sa main, dans la cuisine. « *Cervantès, Tu ne répandras plus dans Paris le bruit que je te fais vivre dans un taudis. Je t'ai vidé et nettoyé la chambre du fond où j'ai installé un superbe bureau que j'ai recouvert d'un tissu magnifique. Tu peux donc tartiner dans le luxe et dans la volupté. Bon courage. T'embrasse.* » Les adjectifs soulignés évoquaient la prose de Candida, qui affectionnait les sublimes, magnifiques et autres merveilleux. Je souris et traversai l'atelier.

Autour de la table sur laquelle Rémy avait posé une lampe à halogène, je trouvai les dossiers et les cartons rangés. Il connaissait assez ma passion des papiers pour deviner que je ne résisterais pas au désir de poursuivre mon exploration. Je m'installai face à la fenêtre et, le front dans la paume de ma main, replongeai dans le manuscrit d'Aldo.

De retour à Biarritz après les années passées dans la Nièvre, puis au collège de Riom, il reprenait sa scolarité, toujours brillante ; au lycée, il rencontrait Philippe, fils d'un grand couturier juif, qui deviendra son plus intime et plus fidèle ami, jusqu'à la fin. Des remarques acerbes suggéraient qu'il s'était alors senti, sinon rejeté, à tout le moins méprisé des rejetons de la bourgeoisie locale. C'est auprès des autres marginaux, surtout des juifs, qu'Aldo avait trouvé compréhension et, plus important, une complicité intellectuelle. La guerre et l'occupation avaient attiré vers la Côte basque nombre de persécutés qui s'étaient rapprochés de la frontière espagnole avec l'espoir d'échapper au piège. Philippe ne tardera pas à partir pour le Portugal et les États-Unis, où il rejoindra sa famille.

Toutes ces années étaient faites des élans, des enthousiasmes et des rêves dont chaque adolescence est tissée. S'accusaient néanmoins, chez Aldo, ces traits de son caractère déjà relevés à Saint-Parize et à Riom : ses affabulations, sa désinvolture et son absence de scrupules quant aux moyens de se procurer de l'argent. Il ne suportait pas la moindre restriction à ses besoins, qui étaient fastueux. Avec largesse, il distribuait ce qu'il ne possédait pas. À défaut de fortune, il avait des espérances, c'est-à-dire des chimères. De fabuleux héritages l'attendaient dont il croyait pouvoir disposer, tirant des traites sur cet avenir mirifique. L'écart entre ses goûts munificents et la médiocrité de son existence auprès de la seule Claire, qu'il appelait Kala, cet écart lui devenait par moments insupportable. Retenue en Angleterre par la guerre, Jeanne ne venait plus à la villa ; de son côté, Andrée se trouvait dans l'impossibilité d'envoyer de l'argent, si bien que Kala en était réduite à donner des leçons particulières. Les pensionnaires se faisaient rares, ses moyens étaient restreints, son train de vie strict, sans la moindre fantaisie. Malgré tout, Claire s'arrangeait pour payer à son fils adoptif des leçons de piano, encouragée par ses amies et ses relations qui s'extasiaient des dons de l'adolescent à qui elles prédisaient une brillante carrière de virtuose. Comment Claire n'eût-elle pas consenti à se serrer la ceinture pour encourager l'éclosion d'une vocation, autant dire une grâce de Dieu ? Il lui arrivait bien de se demander si son Aldo n'aurait pas davantage de facilités que de véritable talent. Il travaillait peu, semblait incapable de persévérer dans l'effort. Comme ses improvisations transportaient d'enthousiasme les intimes de la craintive et scrupuleuse célibataire, Claire ne savait toutefois pas que penser.

De ses lettres, écrites un demi-siècle plus tard, il ressortait qu'elle se sentait écrasée par sa responsabilité. Rien ne l'avait préparée à cette fausse maternité. Sans avoir jamais connu d'homme, effarouchée par tout ce qui pouvait seulement suggérer une intimité physique, elle vivait auprès d'un adolescent énigmatique, plein de séduction, passionné de musique et de littérature, rêvant de mener une vie princière et d'une ironie dédaigneuse pour ce qu'il qualifiait de médiocrité bourgeoise. Jusqu'à la veille de la guerre, Kala avait pu partager ce fardeau avec ses deux sœurs qui, même si elles vivaient à l'étranger, revenaient aux vacances ; les décisions importantes étaient pesées, discutées, prises en commun. Entre des sœurs célibataires, unies dans une même ferveur religieuse, l'intimité atteint à une véritable fusion ; tel était bien le cas pour les trois demoiselles du phare, si étroitement soudées qu'on n'arrivait pas à les bien distinguer. Or, privée d'une partie d'elle-même, abandonnée à ses hésitations, perdue dans un monde rempli de dangers, Claire se sentait désemparée. Avec la peur de mal faire, elle finissait par ne plus réagir. Elle consultait son confesseur, ses rares amies, se pliait aux avis des uns et des autres. Du coup, Aldo lui imposait sa loi. Il avait du reste assez de ressources pour savoir comment manier cette femme naïve, sans d'autres contacts avec le monde extérieur que ceux d'une dévotion étroite.

Il s'était convaincu que sa Mamita et sa grand-mère de Madrid avaient été assassinées par les Rouges, durant la guerre civile. Comment sans cela imaginer leur silence ? Il pensait à son père qu'il rencontrerait un jour. Il imaginait déjà la scène et, vivant tout ce qu'il imaginait, s'émouvait de ces retrouvailles. Fêté comme le fils prodigue, il recouvrerait alors son identité et sa fortune. Il deviendrait, enfin, celui qu'il se sentait être.

Voyait-il encore Andrès ? Son texte n'en soufflait mot. Des recoupements que j'avais pu faire, il ressortait qu'ils auraient été condisciples au lycée de Bayonne mais qu'aucune intimité n'existait entre eux, l'aîné ayant réagi à son double abandon par une attitude de cynisme et de dureté. De l'Espagne, de la Mamita ni du père, Andrès ne voulait plus entendre parler. Il avait fait son deuil de son enfance perdue.

Tout en lisant, je me voyais dans le double miroir de ces demi-frères. Moi aussi, j'avais tenté l'évasion par le rêve et par le mépris. Fallait-il expliquer la divergence de nos destins par l'atavisme, comme Aldo le suggérait et Candida le ferait plus tard ? Mon sang français m'aurait, à les en croire, sauvé de la démesure et maintenu dans une sage médiocrité. De la France, je tiendrais aussi ma passion du travail, mon obstination et jusqu'à cette austérité janséniste de la prose où ils voyaient un frein aux envols et aux tempêtes.

168

Était-ce le choix de la France ou mon goût des causes perdues qui m'attachait à la figure de cet Andrès, dont j'aimais la révolte, le sarcasme, le refus des nostalgies suspectes ? J'écrirai bien plus tard : « *Je n'aime pas l'Espagne, je déteste les Espagnols* », formule d'une ironie très espagnole, mais qui voulait marquer la limite passionnelle d'une double appartenance. N'est-ce pas cette distance qu'Andrès tentait de mettre entre les débordements lyriques de son frère et sa propre blessure ? Dans le silence d'Aldo à son endroit, la différence entre les deux se lisait. L'aîné était en droit de penser que si son cadet n'avait été abandonné qu'une fois, lui l'avait été deux fois et, même, doublement, puisque ses parents adoptifs ne l'avaient pas adopté légalement, contrairement à la promesse faire aux trois demoiselles. Je comprenais son amertume comme je comprenais son refus d'entendre parler de ses géniteurs prestigieux, de leurs châteaux et de leurs millions. Je l'imaginais d'une alacrité toute française, incisive et mordante. Si c'était là, en vérité, le motif de ma secrète préférence, le dégoût des phrases qui s'étalent, des sentiments qui débordent ?

La guerre s'achevait sans autre événement qu'un récital donné par Aldo au Grand Casino de Biarritz, avec un indéniable succès. À quatre-vingt-quatre ans, Claire évoquait encore ce jour parce qu'il avait donné lieu à un incident qu'elle jugeait révélateur du caractère de son fils adoptif. Apprenant que le concert aurait le casino municipal pour cadre, Aldo s'était en effet récrié qu'il aurait souhaité le Grand Casino. Il parut se ranger aux arguments de Kala, mais n'en intrigua pas moins, finissant par obtenir ce qu'il voulait. C'est sur cette obstination que la vieille demoiselle insistait. Pour moi, c'est l'importance attachée au cadre qui suscitait ma curiosité. Aldo avait tout juste quinze ans. Jouer

169

pour la première fois en public, dans sa ville natale ou presque, n'était-ce pas pour un adolescent un événement en soi considérable et qui aurait dû le remplir d'appréhension, l'attacher à son instrument, nuit et jour ? Or le récit de Kala insistait sur son *assurance tranquille,* sa certitude *de dompter la meute* et *d'épater ces bourgeois* qui l'avaient ignoré ou humilié. Il se préoccupait plus de son personnage que des œuvres et de leur interprétation.

Plus troublante encore pour moi, cette coïncidence : au printemps 1921, une jeune fille de quinze ans donnait, accompagnée par l'orchestre symphonique de Madrid, un concert public. Là aussi, ce fut un beau succès. Faudrait-il donc ajouter foi à la thèse de l'hérédité ? Aldo n'avait vécu que sept mois auprès de Candida. Il avait dû néanmoins souvent entendre parler de ses talents de pianiste. Était-ce l'atavisme ou ses rêveries qui l'avaient guidé vers la musique et le piano ?

« *Aldo, avec tous les dons qu'il a,* écrira Kala à Candida, *n'a jamais eu une* vocation. *Lorsqu'il avait entre quinze et dix-huit ans, nous pensions que la musique serait sa voie. Il a été deux ou trois ans au conservatoire de Paris, dans la classe d'Olivier Messiaen pour la composition. Il a eu un prix à Monte-Carlo, un autre à Milan. Puis il est parti aux États-Unis où ma sœur travaillait. Il a été une année au collège, à Augusta, dans le Maine, avant d'aller à l'université de Princeton. Pourquoi n'a-t-il pas fini ses études à Princeton ? je ne sais. Il est revenu en France et s'est engagé dans la Légion étrangère. Il s'est très bien comporté les quatre ou cinq années de son service militaire — et comme je vous l'ai écrit dans une de mes lettres son capitaine a dit à ma sœur Andrée, qui était allée voir Aldo en Algérie :* " Il ferait bien de rester avec nous *car il est incapable* de se diriger par lui-même. " *Je vous ai écrit aussi ce qu'un père mariste de Riom m'avait dit :* " Mademoiselle, avez-vous remarqué qu'Aldo ne sait pas discerner ce qui est bien de ce qui est mal ? *(sic) — Non, je ne m'en étais pas aperçue.* " »

170

La calligraphie appliquée évoquait l'éducation dans l'un de ces pensionnats où les bonnes sœurs savaient que la discipline dans les moindres activités renforce la maîtrise de soi. Quant au style, dans sa pauvreté franciscaine, il montrait assez, par la manière de souligner les mots et les passages jugés importants, qu'il ne livrait rien qui ne fût mûrement pesé. Il révélait aussi, dans sa contention, les scrupules qui le minaient. En avouant, *non, je ne m'en étais pas aperçue*, Kala faisait un acte de contrition. Elle n'avait jamais compris la personnalité de ce garçon qui lui demeurait, à la fin de sa vie, aussi énigmatique qu'aux premiers temps.

Les seules explications qui fussent à la portée des demoiselles étaient celles de la religion, unique langue qu'elles eussent jamais dominée.

« *Nous sommes bien placées pour savoir ce que ce̲t̲t̲e̲ ̲t̲a̲r̲e̲-̲l̲à̲ ̲a̲ ̲f̲a̲i̲t̲ de ravages et de victimes... Mais si vous avez q̲u̲e̲l̲q̲u̲e̲ ̲c̲o̲n̲n̲a̲i̲s̲s̲a̲n̲c̲e̲ de l'Écriture sainte, chère Candida, vous savez aussi que les fautes des ancêtres " visiteront les enfants pendant au moins sept générations ".* »

Une ironie suave corrode, tel un acide, le langage dévot de Jeanne qui, mine de rien, renvoie la mère à sa propre responsabilité. Elle la renvoie aussi, non sans perfidie, à la lecture de la Bible dont elle a peut-être *quelque connaissance*. La lettre répond, il est vrai, à celle de Candida, qui se lamente des souffrances que les sottises de son fils lui cause. Peut-être les demoiselles du phare ont-elles jugé qu'elle les prenait vraiment pour des demeurées ?

VIII

J'avais reconnu le glissement de ses pas sur la moquette, cette allure de chat qui se faufile. Je l'entendis se rencoigner dans le fauteuil, près de la penderie, et je devinai même sa position, les pieds calés sous les fesses, les bras croisés sur la poitrine, la joue contre le dossier.

« Je t'ai dit cent fois de ne pas marcher pieds nus, dis-je sans me retourner. Tu vas encore attraper froid. On croirait que tu le fais exprès !

— J'ai marché vite. Je n'ai pas froid.

— Tu n'as jamais froid *avant*, Xavier, et quand tu sens le froid, il est déjà trop tard. »

Je me levai, fouillai dans la penderie, pris un manteau dont j'entourai ses épaules.

« Tu sais quelle heure il est ?

— Toi non plus, tu ne dors pas.

— Moi... »

Je finis par sourire, caressai sa joue.

« Tu as réponse à tout, pas vrai ? dis-je.

— Je pensais à quelque chose, là-haut. Je t'écoutais parler de Biarritz. Il y a des lieux qui jouent, dans nos vies, un rôle obscur.

— Tu donnes dans le paranormal maintenant ? dis-je en me rasseyant.

— Tu fais le sceptique mais tu es plus superstitieux que moi. Tu as l'esprit magique, c'est Rémy qui le dit.

« Tu sais, dit-il d'une voix changée, ça s'est passé à la fin de la guerre, quand ils m'ont brusquement tiré du camp et rapatrié en Espagne... Nous sommes passés par la Suisse, puis par la France, jusqu'à Biarritz. Je n'ai jamais su la date précise. Je me rappelle seulement que c'était la fin parce que le type qui m'escortait semblait nerveux, tendu et qu'il parlait sans cesse de la défaite.

— Ce serait facile de vérifier, dis-je. C'était fatalement avant la fin de l'occupation du Pays basque. Une semaine, deux tout au plus.

— Ce fut un voyage bizarre parce que, officiellement, je n'existais pas. Mes gardiens m'avaient dit de ne pas prononcer un mot lors des contrôles. J'étais censé être sourd-muet. J'avais l'impression d'être une valise qu'on trimbale. Je n'ai jamais compris pourquoi on ne m'a pas liquidé. Ils ont été gentils avec moi.

« Nous sommes arrivés à Biarritz qui, dans mon cœur, évoquait un bonheur perdu, peut-être à cause de tout ce que j'en avais entendu dire à Madrid.

« Je n'y ai passé qu'une nuit, dans une chambre immense, à l'Hôtel du Palais. Je garde dans ma mémoire le bruit des vagues, le parfum de la mer, le souffle du vent contre mon visage. Je ne voyais presque pas, tu te rappelles ? les médecins parlaient d'une forme d'anémie pernicieuse ayant entraîné une cécité réversible. Devant moi, tout était flou, une sorte de crépuscule brumeux. Il y avait ce mouvement lent, obsédant, suivi d'une explosion sourde, ces bouffées violentes qui me faisaient vaciller. J'étais soûlé de bonheur. Je comprenais soudain la magie de la vie, son mystère. Ce fut un moment unique, je pleurais de joie, debout devant ce spectacle que je ne voyais pas.

— Ils t'ont emmené à Saint-Sébastien, n'est-ce pas ?

173

— Là, c'était une pension de famille, tenue par des gens à eux. J'avais si faim qu'on m'empêchait de manger pour que je ne tombe pas malade. Au début, je vomissais tout. Mais je n'arrivais pas à me contrôler et je me jetais sur la nourriture. Quand on retirait les plats, je pleurais de rage. Tu n'imagines pas comme on se sent humilié. On n'a pas faim : on *est* faim, de la tête aux pieds.

— J'imagine mal en effet, dis-je. J'essaie de me mettre à ta place. Ta faim n'est plus qu'une trace dans ma mémoire.

— Tu es le seul qui comprenne. Les autres n'écoutent même pas. Ils hochent la tête, prennent un air entendu : ils ne savent pas.

— Ils t'ont emmené ensuite à Barcelone.

— Oui, grand-mère vivait là, chez des cousins. Elle avait dû vendre l'immeuble de Madrid. »

Il marqua une hésitation et j'attendis un instant, respectant son silence.

« Elle était gentille avec toi ?

— Je la voyais à peine. Toute la nuit, elle lisait de mauvais romans qui s'empilaient sur sa table de chevet, s'étalaient sur son lit. Elle se levait vers midi, mangeait dans sa chambre, dont elle ne sortait pratiquement pas. Elle se montrait fière, hautaine, méprisante, et les cousins se moquaient d'elle.

— Pourquoi la gardaient-ils, selon toi ?

— Ils reluquaient les meubles remisés dans un entrepôt, l'argent. Ils gardaient la vieille en attendant de faire main basse sur l'héritage.

— Tu comprenais tout ça ? Tu avais douze ans.

— C'était en 1945, oui. Je ne comprenais peut-être pas, mais je sentais tout. C'était une atmosphère étouffante. Il y avait Tomasa, ma nounou, celle qui m'avait élevé jusqu'à l'âge de six ans. Je l'aimais beaucoup et elle m'aimait comme son fils. C'est par elle que j'ai su beaucoup de choses et

174

deviné ce qui se tramait là, dans le quartier du Mont Carmelo, à deux pas de la place de Lesseps.

— Je n'ai jamais rien compris aux relations entre Candida et sa mère, dis-je distraitement.

— Elles se chamaillaient tout le temps parce que Candida agissait d'une manière que Présentation ne pouvait pas admettre. Mais, dans le fond, la mère adorait sa fille. Elle s'est sacrifiée pour elle et l'a aidée de toutes les manières, jusqu'au bout.

— D'où te viennent tous ces souvenirs ?

— C'est à cause de Biarritz et de cette joie insensée que j'ai eue en entendant le mouvement des vagues, en respirant l'odeur de la mer. J'ai pensé aussi qu'à ce même moment, Aldo vivait tout près, à quelques centaines de mètres.

— Il est parti pour Paris fin 44, dis-je.

— Pour suivre les cours au Conservatoire ?

— Oui. C'est du moins la raison officielle. Claire lui avait déniché une chambre chez une vague connaissance, une autre vieille dame pieuse, où il s'est d'abord installé.

— Tu dis que ça, c'est la raison officielle. Et l'autre ?

— D'une part, il étouffait à Biarritz. Il avait passé son bac à quinze ans, avec un an d'avance donc, puis sa philosophie à seize. Il devait par conséquent choisir sa voie. Ensuite, il s'était produit deux événements importants dans sa vie.

« À la suite de son récital au Grand Casino, il avait fait la connaissance de la marquise del Coto, qui habitait Biarritz. Elle avait quatre-vingts ans et c'était la tante maternelle de son père, Nino. Elle lui raconta toute l'histoire, bien entendu à sa façon. Il en ressortait que son père était un grand seigneur, paré de toutes les qualités, alors que sa mère, certes fort riche, sans doute jolie, n'était qu'*une juive mâtinée de gitane*.

— Elle était vraiment juive ?

175

— On est juif par les femmes et Présentation était catholique jusqu'à la caricature. Candida avait été baptisée, avait fait sa communion, s'était mariée à l'église.

— Pourquoi la vieille lui a dit ça alors ?

— Pour beaucoup d'Espagnols, tous les Andalous sont plus ou moins gitans, surtout ceux de Grenade. Juifs aussi et, bien entendu, musulmans.

— Le père de Candida était juif ?

— En politique, il affichait haut et clair ses convictions républicaines et il devint même haut dignitaire maçonnique. Bref, il sentait le soufre.

— Et nous, dit l'enfant d'un ton rêveur, qu'est-ce que nous sommes ?

— Pour partie, des Andalous, c'est-à-dire juifs et musulmans. Pour l'autre, des Français originaires du Forez et de Bretagne.

« Au total, des métèques, lâchai-je avec un sourire. Notre véritable identité, c'est la langue.

— C'est pour ça que le grand-père n'aimait pas Présentation ?

— Elle élevait sa fille dans ce qu'il tenait pour de la superstition.

— Ça n'a pas réussi, dit l'enfant avec un sourire malicieux.

— Pas vraiment, non.

— Candida, comment elle a vécu tout ça ?

— D'abord dans l'ignorance et l'insouciance. Elle était belle, riche, intelligente. Puis les insinuations et les rumeurs ont commencé. Elle s'est débattue comme une lionne ; elle niait tout, crachait, montrait ses crocs. Elle a vécu dans la contradiction et aussi, par la force des choses, dans la dissimulation.

« Je pense, ajoutai-je au bout d'un moment de réflexion, que la question de ses origines la laissait indifférente.

— Tu parles bien. J'aime bien t'entendre.

— C'est possible, bonhomme. Mais il se fait tard. Demain, nous serons épuisés.

— Sois gentil, tu as dit deux événements, quel est le second ?

— Après, j'arrête. C'est d'accord ? »

Il inclina la tête avec un sourire espiègle, se pencha en avant, cala son menton entre ses paumes.

« Voilà, pour se rendre à Paris et s'inscrire au Conservatoire, Aldo avait besoin d'une pièce d'identité. Andrée l'accompagna donc au consulat d'Espagne de Bayonne.

— Pourquoi est-ce Andrée qui l'accompagnait et non pas Claire ?

— Parce que, dis-je avec un sourire, quand trois sœurs célibataires vivent ensemble, il y en a toujours une qui devient le chef du clan, la tête. Or Andrée était la plus instruite et la plus énergique. L'intellectuelle de la famille. C'était aussi l'aînée.

— C'était sa préférée ?

— Je ne dirais pas ça. Kala était la tendresse pure ; Jeanne semblait la plus distante et la plus réticente ; Andrée aura été la plus complice, la plus abusée également.

— Il l'a trompée ?

— Il l'a volée, spoliée, et elle est morte la première, à bout de forces.

« Si tu m'interromps à chaque mot, je te préviens que tu ne sauras jamais la fin de l'histoire. Dans un quart d'heure, je veux être dans mon lit.

— Je ne dirai plus rien, je le jure.

— Ils se sont présentés au consulat et là, les difficultés ont commencé. Les autorités consulaires refusaient de l'inscrire sous le nom de son père et ne voulaient connaître que celui figurant sur les registres de l'état civil, Aldo Martinez, de père et mère inconnus. Pour Aldo, ce fut un choc terrible, d'autant qu'il connaissait maintenant son identité, tout comme la connaissaient les fonctionnaires du consulat. Dans ce monde étroit, quelques milliers de personnes, l'histoire avait fait assez de bruit. Raison de plus, se disaient-ils, pour ne pas remuer la boue dans une famille dont certains membres occupaient de très hautes charges. Aldo devint donc Martinez. Toutes ses chimères s'écroulaient d'un coup. Il se sentait humilié, renié. Avec son identité, on venait de lui ôter l'existence.

— C'est sûrement pour ça qu'il fabulait, soupira l'enfant.

— Quand on ne peut pas vivre la réalité, on vit ses rêves. »

Je fermai le manuscrit, le rangeai dans le carton.

« Tu ne veux vraiment pas me faire plaisir et me raconter ce qu'il a fait à Paris ? »

Je me retournai, vis son regard qui me fixait. J'y lus cette tristesse dure que je connaissais bien.

« Tu le sais, dis-je. Il s'est inscrit au Conservatoire, dans la classe d'Olivier Messiaen. Il menait la vie de tout étudiant de son âge, découvrait les cafés, les boîtes, nouait des amitiés. C'est là qu'il s'est fait faire ce portrait. »

Je lui passai la photo qu'il contempla un long moment en silence.

« Il était beau, murmura l'enfant d'une voix mélancolique.

— Typé surtout, ce qu'on appelle racé. Des traits purs, un nez fin, une bouche mince, des cheveux ondulés.

— Il était blond ?

— Châtain-roux, tu sais une teinte cuivrée. Des yeux clairs, entre gris et vert. Beaucoup de charme, de l'abattage, du bagout même. Il parlait de tout avec éloquence, connaissait tout, éblouissait ceux qui l'approchaient. Des manières de grand seigneur, une magnificence éclatante. Il buvait déjà...

— Beaucoup ? demanda l'enfant.

178

— Pas mal, oui. L'alcool lui procurait l'euphorie dont il avait besoin pour se sentir exister, lui donnait une fausse assurance, comblait les failles.

— Tu crois qu'il buvait à cause de ce nom... ?

— Je suis écrivain, Xavier. J'éclaire les questions, je ne donne pas les réponses, que je n'ai d'ailleurs pas. Disons qu'il avait toujours vécu dans une angoisse sourde. Tu as vu ce qui est écrit au dos de la photo?

— " *Ceci est le premier portrait de moi. — Je me l'offre à moi-même, puisque celle pour qui elle* (sic) *a été faite n'est qu'une lâche et vilaine Mamita que j'aime* " », lut l'enfant d'une voix lente, qui tremblait légèrement.

Nous restâmes un moment sans parler. Il me tendit la photo que je posai sur la table.

« Il pensait tout le temps à elle, dit-il.

— Comme toi. Comme tous les enfants qui ne comprennent pas ce qui leur arrive.

— Il est resté longtemps à Paris? demanda-t-il.

— Trois ans.

— Il a réussi ses études?

— Il les a plaquées au bout de deux ans. Il avait pourtant séduit le conseiller culturel de l'ambassade d'Espagne qui lui avait même obtenu une bourse du gouvernement espagnol, au nom de Martinez, naturellement. C'était un aristocrate fin et cultivé, qui connaissait sa famille, tant paternelle que maternelle. Il le consolait, lui répétait que tout s'arrangerait un jour et qu'il finirait par obtenir sa reconnaissance légale.

— Aldo jouait bien?

— Il semble, oui. Je te parle par ouï-dire et j'ai recueilli les avis les plus contradictoires. Le conseiller culturel, qui était un bon musicien, l'admirait beaucoup.

— Au fond, il aurait *pu,* n'est-ce pas?

— Il aurait pu, oui.

« Comme elle, lâchai-je au bout d'un moment.

179

— Il est retourné à Biarritz ?

— Il est d'abord parti avec un cirque.

— Un vrai cirque ? s'écria l'enfant avec un rire d'excitation.

— Oui. Il a suivi un ami trapéziste. Il aidait à monter et à démonter le chapiteau, accompagnait au piano les numéros. Il a parcouru la France, est allé en Belgique, en Allemagne, en Italie. Il en parle comme d'une période très amusante de sa vie.

« De retour à Paris, ses ennuis judiciaires ont commencé. Il a préféré rejoindre Andrée aux États-Unis, à Augusta.

— Nous étions alors à Barcelone, n'est-ce pas ?

— Depuis deux ans. Des années pas bien drôles pour nous.

— Non, lâcha-t-il. Mais c'était bien aussi, d'une autre manière. Tu sais, je ne peux pas dire que je suis content d'avoir eu la vie que j'aie eue. Je ne suis pas non plus mécontent. Nous avons dû nous coltiner avec la misère, avec la solitude surtout. Nous avons été contraints de creuser en nous-mêmes pour trouver un point d'appui. Ça nous a sauvés des chimères. Vivre, ce n'est pas fuir, mais lutter. »

Je laissai ses paroles résonner en moi, me levai, m'étirai.

« Tu es un fier lutteur, dis-je en touchant son front.

— Tu luttes aussi. Avec les mots. Souvent je t'admire. Je te regarde reprendre, couper, recommencer. Je me demande comment tu fais.

— Mais comme toi, bonhomme. Je m'accroche et ne lâche plus.

« Regarde, il fait presque jour. »

IX

Comme tous les vieillards, Félix s'habituait à notre présence. Si je lui annonçais que je ne viendrais pas le matin, il m'interrogeait sur ses occupations, me soumettait la composition de son repas, sollicitait mes conseils sur les démarches qu'il se proposait d'accomplir. En me montrant qu'il s'en remettait à moi du soin d'organiser sa vie, il me signifiait que je lui étais indispensable.

De peur que l'odeur et la saleté ne fussent la cause de mon éloignement progressif, il aérait l'appartement, dormait la fenêtre grande ouverte. De mauvaise grâce, il s'était débarrassé du fauteuil orthopédique. Il l'avait descendu seul, l'avait déposé sur le trottoir d'en face. Debout devant la fenêtre, il guetta, heureux de voir que quelqu'un l'emportait aussitôt. Il répugnait à se dessaisir fût-ce d'un bout de ficelle, récupérait les emballages et les cartons. Me regarder jeter la garde-robe de Candida avait dû être pour lui un véritable arrachement. Cette parcimonie pouvait passer pour de l'avarice, elle dénotait plus sûrement des habitudes de stricte économie, prises dans l'enfance. Il était heureux que je règle les restaurants, les courses, ne protestait que pour la forme.

Je dus l'accompagner à son agence bancaire. Je m'armai de patience devant l'obscurité des explications qu'il fournissait à l'employée. Il n'entendait rien à ce qu'elle lui disait, revenait à ses craintes de se voir spolié. Il soupçonnait l'État de fomenter sa ruine. À tous mes arguments, il répondait : « *Je les connais, moi ! Je sais comment ils s'y prennent. Tu es un naïf, toi. Tu es comme Vicky.* » Il prenait un air averti, partait de son rire étrange.

À la fin de l'entretien, l'employée me glissa à voix basse :

« Il s'est produit un incident curieux avec Mme Bouguet. L'avant-veille de sa mort, elle m'a appelée au téléphone. J'entendais à peine ses paroles, tant son élocution était obscure. Je finis par comprendre ceci, que je lui fis répéter : " *Ils sont tous là, autour de moi.* " Comme je lui demandais si elle souhaitait que je bloque ses comptes, elle répéta sa phrase, mot pour mot.

— Trois jours avant sa mort, le jeudi, intervint Félix en haussant le ton comme chaque fois qu'il se sentait exclu de la conversation, elle m'a fait un chèque de cinquante mille francs qu'elle m'a demandé de venir toucher : " *C'est pour les funérailles, tu auras besoin de liquide.* " Je suis venu, je n'ai pas voulu toucher le chèque. C'est vrai, madame Berthon ?

— Tout à fait, monsieur Bouguet. J'ai même proposé de rappeler votre épouse pour avoir confirmation.

— C'était une femme exceptionnelle, pleurnicha-t-il. Elle avait tout prévu... J'aurais mieux fait de l'écouter, je ne serais pas dans la situation où je me trouve.

— Mais tu peux tirer sur ton compte tant que tu veux, Félix. Tu as de quoi finir tes jours en paix.

— Parce que tu t'imagines qu'ils vont me laisser cet argent ? Tu es un innocent, comme ta mère. Ils trouveront bien le moyen de tout me prendre. »

J'abandonnai. À quoi bon poursuivre ce dialogue de sourds ?

Sur le chemin du retour, je pensais à ces deux coups de fil, l'un à M. Martin, l'autre à Mme Berthon : quels étaient ces *ils* qui tournaient autour d'elle? Quels fantômes s'agitaient autour de son agonie?

J'étais surpris par les sommes rondelettes que cette tête folle avait, depuis une dizaine d'années, déposées à la banque. Après avoir, dans sa jeunesse, dilapidé des fortunes, Candida se cramponnait à son magot, téléphonait pour passer des ordres de vente ou d'achat, spéculait sur le néant.

Au restaurant, j'abordai le sujet du manuscrit de Candida avec Félix. À la violence de ses dénégations, je compris qu'elle ne s'était pas trompée.

« Quelle idée! répétait-il, rouge de confusion. Mais quelle idée d'écrire de pareilles bêtises? Tiens, pendant son séjour aux Antilles, tu me croiras ou non, je n'ai pas touché une femme. Des occasions, j'en ai eu! Ça ne me disait rien. Pour moi, il n'y avait qu'elle.

— Tu sais, Félix, je dois m'absenter pour les fêtes, dis-je d'une voix que j'essayai de rendre aussi neutre que possible. Je reviendrai dans un mois. Que comptes-tu faire d'ici là?

— Moi? Rien! Je sais me débrouiller tout seul, je n'ai besoin de personne.

— Une assistante sociale viendra te voir. Il paraît qu'elle est gentille.

— Tout ça, c'est encore des embrouilles de ma fille.

« Tu reviendras? Tu ne me laisseras pas tomber? gémit-il d'une voix radoucie.

— Je reviendrai, dis-je en évitant le regard de l'enfant.

— Je n'ai que toi, pleurnicha-t-il.

— Tu as ta fille.

— Qu'est-ce que c'est, ma fille? Je ne la connais pas. Elle dit qu'elle est mariée avec un ingénieur, mais, moi, je ne la crois pas. »

La fatigue me raidissait, pesait sur mes épaules.

Nous remontâmes dans l'appartement. Je m'assis à la table qu'éclairait un pâle rayon de soleil.

Cependant que je finissais de classer et trier la correspondance — lettres d'Aldo, de ses deux mères adoptives, de Candida, les miennes —, l'enfant faisait lentement le tour de l'appartement. Il plissait le front et sa lèvre inférieure avait une moue boudeuse. Je pensai qu'il était temps de rentrer.

Xavier alla enfin vers la chambre et s'assit sur le lit, auprès d'Athos. J'entendais ses chuchotements mélancoliques : « *Ne sois pas triste, Athos. Nous reviendrons te voir. Félix s'occupera de toi.* »

Pour détourner son attention, je me mis à lui conter la suite de l'histoire d'Aldo.

Elle tenait en quelques séquences mal raccordées, incohérentes et, souvent, incompréhensibles. Il avait rejoint Andrée aux États-Unis, apprenait l'anglais et, après une année passée au collège, dans le Maine, s'inscrivait à Princeton, où il étudiait les littératures étrangères. Se plaisait-il dans ce monde pour lui nouveau ? Qu'éprouvait-il devant l'immensité des paysages ? Avait-il visité le lac Ontario, contemplé les chutes ? Aimait-il la vie du campus ? Pas une allusion dans ses livres, ni dans ses manuscrits. Tout se passait comme s'il n'avait rien vu qui méritât une mention.

À l'université, il travaillait à son habitude, vite, avec désinvolture. Il savait tout avant de l'avoir appris. Ses affabulations s'aggravaient, tournaient à la mythomanie. Pas une personnalité célèbre qu'il n'eût, non seulement approchée, mais intimement connue. Au lycée de Bayonne, il avait été l'élève préféré de Barthes, avec Jean Lacouture il avait combattu dans le maquis de la Dordogne, à Biarritz il organisait l'évasion des juifs pour l'Espagne, franchissait avec eux la frontière. Il rencontra, bien entendu, Bormann, à la frontière entre l'Argentine et le Paraguay. Il va encore sans dire qu'il était, à Princeton, le collaborateur et l'intime d'Oppenheimer, qui avait supervisé sa thèse sur la théorie des quantas. À l'appui de ses affabulations, il produisait des lettres et des documents, ornés des signatures les plus prestigieuses, de tampons d'une authenticité ostentatoire. En Angleterre, en Allemagne, en Grèce, en Italie, partout il comptait parmi ses amis les personnages les plus en vue. Quelle langue ne parlait-il pas à la perfection ? Il en avouait quatorze, dont le russe et le chinois. Mais il dominait aussi toutes les langues scandinaves, jusqu'au finnois. Comme il devait tout de même en connaître quelques-unes, dont l'allemand et l'anglais, les vérifications devaient être difficiles. Qui sait s'il ne disait pas la vérité ?

« Avec lui, on ne sait jamais où est la vérité. Son imagination fabrique des mirages !... Je pense à notre pauvre chère Andrée qui a tant souffert de tout ce qu'il a fait », écrivait Jeanne à la veille de sa mort.

De son côté, Aldo tentait de trouver une explication à ses égarements : « *Il* (Erma) *développait journellement ce don curieux de pouvoir s'approprier l'expérience des autres à son profit. Et il termina par en souffrir car enfin, être soi-même est déjà bien difficile : que dire alors d'être un autre... tous les autres ?* »

S'il s'agissait d'un don de mimétisme ou, comme Claire le disait, d'une tare, le résultat, dans les deux hypothèses, était le même : Aldo se perdait dans des vies imaginaires. De pair avec ces existences multiples, les besoins d'argent ne cessaient d'augmenter, comme aussi les ruses et les expédients pour s'en procurer. N'est-ce pas à cette *cupidité* dont Kala s'effrayait que faisait allusion Jeanne, quand elle évoquait la souffrance de leur sœur Andrée ?

Après chaque délit, il ne restait à Aldo d'autre issue que la fuite ; et ces courses éperdues, toujours entre deux plaintes et deux condamnations, hachaient sa vie d'épisodes sans lien les uns avec les autres. De Princeton, on le retrouvait à Miami, en Floride, aux prises avec les services de l'Immigration américaine qui, pour usurpation d'identité, vol, grivèlerie, abus de confiance, l'expulsaient après qu'il eut purgé une peine de six mois. Andrée courait le pays, dépensait sans compter, semant, en pure perte, ce que Jeanne appelait « *ses chers dollars si durement gagnés* ». Pour les trois demoiselles du phare, la descente aux enfers commençait.

À son départ des États-Unis, se rendit-il, comme il le racontera, en Amérique latine, notamment en Argentine et au Pérou ? Plus tard, il entreprendra la rédaction d'un roman situé dans les Andes.

À la fin de 1954, il se retrouvait en France et s'engageait dans la Légion étrangère, où il restera jusqu'en 1958. Sur les motifs de cette décision, aucune indication convaincante. Fuyait-il ses ennuis judiciaires ? Voulait-il, à sa libération, obtenir la nationalité française ? Aldo semble avoir trouvé à la Légion ce cadre rigide où tant de caractères incertains parviennent à se contenir. Il aima ses chefs, épousa les mythes de cette troupe endurcie et, à sa sortie, consacra un roman à ces années, somme toute, heureuses.

À ce moment de sa vie, 1959-1962, nos pas chaque jour ou presque se croisèrent. Publiés tous deux chez le même éditeur, il dut souvent gravir le vieil escalier de la rue de l'Université, arpenter les couloirs poussiéreux, circuler dans les bureaux du premier. Il déjeunait ou dînait dans l'hôtel tout proche, entre Gisèle et René Julliard, où il devait assurément faire meilleure figure que l'écrivain sauvage et taciturne que j'étais alors. Il s'asseyait au piano, jouait et chantait pendant des heures, tout *Tristan et Isolde* d'affilée, ce qui eût suffi à m'assommer. Je fuyais les mondanités, j'étais trop occupé à récupérer mes esprits. L'aurais-je rencontré, comment aurais-je reconnu un demi-frère possible en ce Martinez qui parlait de la Légion ou, dans un second livre, s'inspirait de l'affaire Jacques Fesch ? Il n'en demeure pas moins que nous étions tout proches l'un de l'autre, à nous frôler, qu'il m'envoyait ses romans agrémentés d'une dédicace ; qu'il y a quelque chose de proprement vertigineux dans ces ballets ironiques que la vie s'amuse, par dérision dirait-on, à organiser.

Il cherchait toujours sa Mamita *dans les étoiles*, quand je me débattais avec son ombre, rue Portefoin. Nous portions les mêmes stigmates mais n'avions pas suscité les mêmes anticorps. Contre la médisance et la calomnie, contre le délire et les affabulations, je me durcissais de jour en jour. Seule la honte persistait. Alors qu'il tentait de rejoindre ses géniteurs rêvés dans la démesure et le lyrisme, je fermais mon style, le contenais et le bandais. Ma vie perdue s'abîmait dans les livres.

Au moment où il pouvait espérer sortir de l'anonymat, Aldo partait brusquement pour l'Espagne. Les Cortes venaient de promulguer une loi autorisant la reconnaissance rétroactive des enfants naturels ou illégitimes. Il s'était aussitôt mis en tête de rencontrer son père et de régulariser sa situation. Il ne parlait pas la langue, qu'il dominera, évidemment, en trois mois, sans trace d'accent, avec une pureté toute *castiza*. Il ne connaissait pas davantage le pays. Il débarquait à Madrid accompagné d'une jeune femme belge et d'un jeune homme. Cette Christiane, il l'aurait épousée dans une synagogue d'Anvers, grâce à de mystérieuses complicités, en catimini, et sans qu'on puisse trouver la moindre trace d'une telle union. Il se serait agi de la fille d'un haut dignitaire nazi, héritière richissime, cela va sans dire. Quant au jeune homme, âgé de dix-huit ans environ, ce serait le fils issu de ce mariage fantomatique. Pour les autorités franquistes, plongées, selon lui, dans un Moyen Âge crasseux, le trio semblait rien moins que clair. Elle? Peut-être une petite amie. Quant au fils, un ami plus intime encore. Qu'auraient-ils pu penser, ces fonctionnaires ignares, d'un homme qui s'agite en tous sens, mobilise des avocats, harcèle une famille connue depuis des siècles et qui, dans le même

187

moment où il réclame la reconnaissance de sa filiation, clame haut et fort son appartenance au judaïsme ?

C'était sa dernière marotte. L'obsession s'était brusquement réveillée, peut-être à cause de la marquise del Coto. Aldo l'appuyait sur des arguments apparemment irréfutables ; un, sa mère était juive et lui, circoncis rituellement de naissance ; deux, il aurait été présenté à la synagogue de Bayonne ; trois, sa future se serait convertie au judaïsme avant de l'épouser à la synagogue. Dans ses écrits, il reconnaît lui-même : un, qu'il fut baptisé à Madrid sous le nom, amputé, de son père (le document existe bel et bien) ; deux, qu'il a suivi l'enseignement du catéchisme dans son enfance et fait sa communion solennelle au collège de Riom. Alors ?

« Mais il est fou ! dit l'enfant, l'air éberlué. Comment les demoiselles du phare n'auraient-elles pas su s'il était juif ou catholique ?

— Fou, je ne sais pas. Confus, oui.

« Quant aux demoiselles, elles le savaient si bien catholique qu'elles demandent à Candida : " *Est-il vrai qu'il soit devenu juif? Je ne sais que penser de tout cela.* " Aurait-il été, comme il l'affirme, circoncis, Claire n'aurait pas manqué de s'en apercevoir. Quant à sa présentation à la synagogue de Bayonne, j'ignore même ce qu'il entend par là.

« Candida tenait des propos d'un antisémitisme choquant ; dans ses deux premiers romans, Aldo glisse, lui aussi, des remarques contre les juifs.

— Toi, chuchota l'enfant en se penchant, qu'en penses-tu ?

— Rien de précis. Il me semble qu'à cause de ses opinions républicaines et laïques, le grand-père passait pour juif et que l'engagement de Candida dans le camp républicain n'a pu que donner corps au soupçon...

« Pour les franquistes, lâchai-je, tous ceux qui défendaient la République étaient des bolcheviques, des francs-maçons ou des juifs, le plus souvent les trois ensemble. »

Nous gardâmes un moment le silence.

« Qu'ont fait les Espagnols ? interrogea Xavier.

— Ils l'ont jeté en taule pour usurpation d'identité et tentative de chantage. Il aurait également commis quelques indélicatesses... comme à l'habitude.

— Tu crois qu'il a vu son père ?

— Non. Il est allé rôder autour de la fameuse propriété, en Estrémadure, il s'est fait alpaguer par la garde civile, qui l'a renvoyé comme un malpropre.

— Nino vivait ?

— Il était très vieux, à demi gâteux, en proie à des délires alcooliques et vivait reclus dans sa propriété. Toute la famille était en ébullition, persuadée qu'Aldo reluquait sa part d'héritage.

— Il n'a rien obtenu ?

— Il a réussi à rencontrer deux de ses tantes paternelles. C'est par elles qu'il a sans doute appris beaucoup de choses. Il a fini par obtenir le droit de porter le nom de son père après avoir signé une renonciation à une éventuelle succession.

— Il était content ?

— Ce fut une seconde humiliation, pire que celle de Bayonne. D'où sa hargne, presque comique, contre l'Espagne.

— Et sa femme, enfin...

— Elle se serait tuée avec son fils dans un accident de voiture.

— Tu penses qu'ils étaient vraiment mariés ?

— Je n'ajoute guère foi aux conspirations, ni aux cérémonies secrètes. On ne trouve aucune trace de ce mariage.

— Tout est triste, dans son histoire, mais d'une tristesse..., dit l'enfant, qui laissa sa phrase en suspens.

— Poisseuse ?

— Je ne sais pas... Je n'aime pas toutes ces intrigues. Je plains les trois sœurs. Andrée surtout.

— Elle était allée le voir quand il se trouvait à la Légion, à Sidi Bel Abbes. Elle est aussi retournée en Espagne où elle a connu Christiane.

— Elle existait donc réellement ?

— Sans doute aucun. Elle aurait même pu être sa femme. Qui sait ?

— Elle a dû beaucoup souffrir, Andrée. Les deux autres aussi.

— Elles se sont saignées aux quatre veines. Elles sont mortes dans la pauvreté.

— Si Dieu existe, dit l'enfant avec gravité, pourquoi a-t-Il fait tomber sur elles un tel malheur ?

— Peut-être pour les tirer de leur sommeil, pour qu'elles aiment, souffrent, vivent enfin ?

— C'est juste.

« Qu'est-ce qu'il a fait après l'Espagne ?

— Des voyages. La Grèce, la Suède, l'Allemagne, et, dans tous les pays, les mêmes délits, stupides. Il aurait, à l'en croire, vécu en Israël où il aurait étudié le chinois à l'université de Jérusalem. Bien entendu, il aurait appartenu aux services du Mossad mais, en même temps, il serait allé rejoindre les Palestiniens.

— Tu comprends pourquoi je n'aime pas les romans d'espionnage : ça n'a ni queue ni tête. Tout ça me rappelle...

« Candida était tout de même plus maligne, dit-il après une courte pause. Elle mentait mieux.

— Parce qu'elle ne croyait pas vraiment à ses inventions. Lui manquait de distance.

— Tu sais, je crois qu'il était malade.

— C'est ce que pensaient Claire et Jeanne. " *Il y a chez lui, dans son sang même, un virus comme il y en a chez les grands malades.*

190

Peut-être faudrait-il remonter très loin pour trouver la cause. " Voilà ce qu'écrivait Jeanne.

— Je ne suis pas d'accord avec ça! se récria Xavier avec une fermeté impressionnante. Il n'y a pas besoin de recourir au sang ni à l'hérédité : son enfance suffit. Je sais, moi, que j'aurais pu devenir comme lui.

— Tu as raison, bonhomme. Comment veux-tu que ces pauvres femmes aient compris ce qui leur arrivait? Elles étaient dépassées.

— Il a été souvent en prison?

— Au moins cinq ou six ans, entre l'âge de trente-cinq et quarante-huit ans.

— C'est une vie perdue, murmura l'enfant.

« Est-ce que tu crois que Candida a mesuré...? Personne n'est sorti indemne...

« Quand il est rentré des États-Unis, en 1952, elle travaillait à la R.T.F. Il lui suffisait de prendre le train. Tu crois qu'elle avait oublié?

— Elle n'oubliait rien. Mais elle aimait Félix. Elle était allée en Espagne pour rejoindre Carlos.

— Et l'autre, Andrès?

— Il aurait fait du journalisme, à Bayonne. Il est parti sans laisser de trace.

— Je pense souvent à lui. La nuit surtout... J'espère qu'il s'en est tiré.

— Je l'espère aussi, bonhomme.

« Je vais ranger toutes ces lettres avant de partir. »

Il alla rejoindre Athos, sur le lit. Avais-je tort ou raison d'encombrer son esprit de toutes ces ombres?

J'allais prendre congé de Félix lorsqu'il me tendit une photo Polaroid :

« Tiens, dit-il. Deux jours avant sa mort, elle m'a

demandé de la prendre en photo. Elle a dit : " *Pour Michel.* " »

Je jetai un coup d'œil dessus, encaissai le choc, d'une brutalité insupportable, la fourrai vite dans la poche de mon veston. Je glissai un regard vers l'enfant, toujours penché sur Athos. Je me demandai s'il nous avait entendus. A aucun prix, je ne voulais qu'il vît une horreur pareille. J'entendais mon cœur battre à mes tempes, à coups précipités. Je n'avais qu'une hâte, rentrer à Montmartre, me retrouver seul avec moi-même. Je sentais la nausée remonter à ma bouche.

X

Je trouvai Rémy assis dans le salon, occupé à rédiger des enveloppes pour ses cartes de vœux.

En m'entendant, il leva la tête.

« Tu n'as pas l'air en forme, dis donc. L'air de Paris ne te réussit pas.

— Je voudrais te montrer...

— Il n'y a pas le feu. Tu pues.

— Toujours aimable. C'est un plaisir de te retrouver.

— C'est bien ça, les écrivains. Jamais contents. »

Je restai sous la douche plus longtemps que les autres jours. Je montai ensuite à l'étage pour m'assurer que Xavier dormait. Je le regardai un long moment, sa joue sur l'oreiller qu'il serrait entre ses bras. Je le revis en cette journée caniculaire d'août 1942. Je le **suivis** dans sa chambre, l'aperçus blotti dans un coin, la tête dans les épaules, secoué de spasmes et de sanglots, entouré d'inconnus qui tentaient de le raisonner, hésitaient à l'approcher, n'osaient pas le toucher. Le lendemain, il avait cet air stupide qu'il conservera pendant plus de trois ans. Il fixait le vide de ses yeux dilatés, ne desserrait pas les lèvres, obéissait docilement aux ordres.

« *Tu as tenu bon,* murmurai-je. *Il ne s'agit plus que de s'accrocher encore un peu.* »

J'eus un geste pour caresser ses cheveux, me retins, m'éloignai sans éteindre la lampe de chevet. Il avait toujours eu peur de l'obscurité et, si on le réveillait dans son sommeil, bondissait en levant les bras au-dessus de sa tête.

L'enfant appuya sur ses paupières, accorda son souffle au rythme du sommeil. Par moments, l'écrivain manquait vraiment d'intuition. Le croyait-il donc idiot? Il avait très bien vu son geste pour cacher la photo. S'imaginait-il qu'il n'avait pas la force de supporter un tel choc? Aucune image ne saurait l'effrayer. Au reste, il prévoyait ce que ses yeux découvriraient. Ce qui l'intriguait, c'est pourquoi Candida avait voulu leur transmettre ce témoignage.

Il entendit l'écrivain descendre avec mille précautions l'escalier à vis dont une marche, toujours la même, craquait. Il fut tenté de bondir hors du lit, de se pencher au-dessus de la cage, de lui crier : « *Tu es vraiment trop bête! Ce n'est pas la peine de prendre des airs de voleur.* » Il ne bougea pas car il aimait le scribe et ne voulait pas lui causer ce choc. Il verrait la photo à un autre moment, seul, et il garderait pour lui ce secret, comme il en conservait d'autres, bien cachés dans son silence. Il faisait attention à ne pas tout confier à l'écrivain qui ne pouvait s'empêcher ensuite de noircir des pages. C'était plus fort que lui : chaque détail, chaque geste, chaque mot, il le ressortait dans ses livres. Si encore il transcrivait fidèlement! Mais non, même quand il se croyait véridique, il arrangeait la scène, changeait la lumière, déformait les propos. Si l'enfant avait voulu être franc, il aurait avoué que le responsable de ces distorsions, c'était lui. Il embrouillait son double avec ses rêveries, l'empêchait de se concentrer, détournait son attention vers des détails cocasses. Était-ce sa faute si l'enfant remarquait d'abord les aspects comiques de la réalité?

« Tu devrais la faire tirer sur papier, dit simplement Rémy en reposant la photo sur la table basse. Sans ça, elle finira par passer. »

J'acquiesçai de la tête, fixai à nouveau l'image. Dans une robe de chambre suspecte, un foulard autour du cou, Candida regardait l'objectif avec une expression d'angoisse indicible. Elle tenait Athos serré contre sa poitrine en un geste plus de possession que de tendresse. Incurvé, le nez tombait sur une bouche que l'amertume et le désespoir maintenaient serrée. Les cheveux blancs, qui se dressaient comme ceux d'une sorcière de Goya, achevaient de donner à ce portrait un air de cauchemar. Détail saugrenu : la chevelure était teinte, avec des reflets bleus. Faisait-elle venir un coiffeur ?

Ce qui fascinait l'écrivain, c'était le regard. Entourés de cernes mauves, les yeux semblaient hurler d'épouvante. Plus saisissant que les dessins faits d'après le cadavre, le portrait ne montrait pas l'inertie de la mort, sa rigidité énigmatique, mais l'ultime spasme, le trépas, cet instant où tout bascule dans un hurlement de panique.

« Je ne comprends pas, dis-je stupidement.

— C'est une photo, lâcha Rémy en continuant d'écrire.

— Tu plaisantes, j'espère ?

— Pas le moins du monde. Pourquoi ?

— Pourquoi, justement ? Pourquoi a-t-elle fait ça ?

— La photo le montre, non ? Pour regarder la mort en face.

— C'est... révoltant, lâchai-je.

— Mourir n'est pas une chose très agréable. »

Le faisait-il exprès ? Voulait-il me provoquer ? Je le

regardai pendant qu'il rédigeait ses enveloppes. Il reprenait parfois une lettre, en renforçait le trait, observait le dessin de la calligraphie.

« Elle a dit : " *Pour Michel.* "

— Évidemment. Pour qui voulais-tu que ce soit ?

— Tu penses à une vengeance...

— Ce serait trop bête. Et puis, quelle vengeance ?

— Un défi ?

— Un témoignage tout simplement.

— Mais de quoi ?

— Il faut toujours que tu cherches midi à quatorze heures. Il n'y a pas à chercher plus loin que ce qui se voit.

— C'est une ruine.

— Oui, mais debout.

— Cette amertume, ce désespoir, cette fureur. On dirait qu'elle se prépare à nous cracher à la figure.

— Pas à nous, à la mort. Elle refuse d'abdiquer.

— Un cri de haine.

— Peut-être pas, dit Rémy en examinant une enveloppe comme s'il se fût agi d'un croquis. Elle crie : *Non!* tout bêtement. »

Je baissai les paupières, renversai ma tête, appuyai ma nuque sur le dossier. Je tournais le dos à la ville, à ses lumières. Je me sentais vidé.

« Il est temps pour toi de rentrer, dit Rémy. Tu as besoin de repos. Tu ferais bien de marcher dans la campagne. Tu ne marches pas assez et tu fumes trop. C'est une véritable tabagie ici. Si je meurs d'un cancer des poumons, tu sauras à qui t'en prendre.

— Je sais, dis-je. Je n'aime pas marcher seul.

— Nous en sommes tous là. C'est une question d'habitude. À Paris, on n'est jamais tout à fait seul.

— Rémy ?

— Oui ? »

196

Je détournai les yeux, ravalai ma salive.

« Rien, excuse-moi. Je vais monter me coucher.

— Tu veux un somnifère ?

— Ce n'est pas la peine, merci. »

Je gravis quelques marches, me retournai. À demi caché dans la pénombre, Rémy m'observait. Je lui adressai un signe de la main, me glissai dans le lit, restai un moment sans bouger.

« Tu sais, tu peux me la montrer, la photo. Je n'ai pas peur de ça, chuchota Xavier, son visage tourné vers le mur.

— Tu nous as entendus ?

— Je n'avais pas besoin d'entendre. J'ai vu Félix te la donner, j'ai surpris ton geste pour la cacher.

— Ce n'est pas très gai.

— Évidemment, ce n'est pas gai. »

J'étais trop fatigué pour disputer. Je lui tendis la photo et il se tourna vers moi, prenant appui sur un coude. Longtemps, il demeura dans la même position, sans dire un mot.

« Tu pleures ? me demanda-t-il brusquement en me fixant d'un regard embué.

— Mais non, quelle idée ! C'est le désodorisant. J'ai dû m'en mettre dans les yeux.

— Tout le monde meurt, dit-il. Et puis, elle était vieille, très vieille.

— Je sais, bonhomme.

— Peut-être que nous ne vivrons pas aussi longtemps.

« Seulement, nous, c'est différent. Quand tu mourras, je mourrai aussi. Comme ça, tu ne mourras pas seul.

« Tu ne veux pas sortir l'album que tu as emporté ?

— Tu devrais dormir.

— Nous ne dormirons ni l'un ni l'autre. Depuis plus de dix jours, tu restes toute la nuit éveillée, à fixer le plafond.

— Tu t'en es aperçu ?

— Tu me prends vraiment pour un crétin. »

Je me penchai hors du lit, glissai ma main sous le sommier, tirai l'album et le déposai sur l'édredon. Enjambant mon corps, Xavier s'accroupit sur le tapis. Il feuilleta l'album, choisit quelques photos, les disposa devant lui. À quoi jouait-il donc ?

Il y avait d'abord le portrait fait à Paris, en 1930, qui représentait Candida de profil, coiffée d'un béret. Je le connaissais dans ses moindres détails : le manteau Chanel au col de fourrure relevé, le collier. Elle allait avoir vingt-cinq ans. Elle avait déjà plusieurs vies derrière elle, trois fois mère, un mari, un amant pour qui elle avait risqué l'internement. Elle venait de laisser son aîné à la garde de son père, de confier les deux autres aux demoiselles du phare. Elle habitait le Ritz, dansait le tango, lisait les romans de Carco et de Mac Orlan. Dans quelques jours, elle rencontrerait notre père.

La deuxième la montrait avec l'enfant, au camp de Rieucros, près de Mende. Très maigre, les joues creusées, le visage farouche, elle paraissait défier l'objectif avec une expression de hargne et de révolte. À sa droite, de profil, une Espagnole solide, puissante, l'air de la paysanne qu'elle était sans doute. Quant à l'enfant, accroché d'un bras à la taille de sa mère, l'autre, tout maigre, pendant le long de la hanche, il baissait la tête avec un air maussade, entre larmes et bouderie. Il portait un pull-over blanc qu'elle lui avait tricoté, avec, sur la poitrine, des motifs bariolés. Épais et drus, ses cheveux noirs lui cachaient en partie le front. Le document datait de 1940.

La guerre civile avait passé, la prison, la défaite et l'exil. Candida était un personnage différent, plus dur, plus vulnérable aussi.

« Tu as vu, chuchota l'enfant, elle paraît en colère.

— Ce fut, pour elle, une épreuve très dure, répondis-je. Les conditions d'existence, au camp, étaient précaires. Elle souffrait du froid, de la faim ; elle se sentait coupée du monde, abandonnée. Elle avait peur d'être renvoyée en Espagne où elle aurait été fusillée.

« De plus, elle se considérait à demi française, ayant passé une partie de son enfance et de son adolescence à Biarritz. Elle aimait le pays. Or, elle découvrait une France hargneuse, mesquine, lâche. C'est cette fureur que tu vois dans son regard.

— On a l'impression, dit Xavier, que sa vie a basculé à ce moment-là.

— Elle n'était pas faite pour le malheur. Même à Madrid, durant la guerre civile, elle se sentait protégée par son nom, ses relations, sa famille. À partir de son arrestation, elle a découvert qu'elle était désormais livrée à elle-même. Une réfugiée politique parmi des centaines de milliers d'autres.

— Tu crois que c'est pour ça qu'elle a pu... ?

— Je ne sais pas, Xavier. J'ignore quels moyens de pression ils ont exercés sur elle.

— Je crois qu'ils se sont surtout servis de moi, lâcha l'enfant avec tristesse.

— Peut-être. Il y avait aussi sa rancune envers la France. Te rappelles-tu ce soir, en 1956, où, rue Portefoin, elle avait invité à dîner des amis algériens ? Ils parlaient de la France et des Français avec un tel accent de haine...

— Tu ne desserrais pas les lèvres, tu gardais la tête baissée.

— Je n'aime pas les jugements définitifs. J'ai la faiblesse d'aimer mon pays.

« À partir de 1940, Candida avait fait de la France une personne, comme si tous les Français avaient été des délateurs et des lâches.

— Dans son livre, *El Desastre*, elle fait à peine mention de

199

mon existence. On a l'impression que je n'existais pas, lâcha Xavier.

— C'est à peine aussi si elle évoque ses compagnes, au camp. Elle se sentait appartenir à une autre espèce.

— Je ne t'ai pas dit, murmura l'enfant. Dans le manuscrit de Candida, où elle parle de sa mère...

— *La lettre à Aldo ?*

— Elle raconte... En 1936, Nino, qui lui avait sauvé la vie en la transportant d'urgence dans cette clinique clandestine, l'a suppliée de reprendre la vie commune. Il vivait traqué, déguisé en syndicaliste, avec le bleu de travail des ouvriers. Son frère avait été assassiné, sa mère était morte. Eh bien ! elle a refusé et lui a déclaré que tout était fini entre eux. Juste à ce moment-là...

— J'avais relevé le passage.

— Chez grand-mère, lâcha-t-il du bout des lèvres, une atmosphère de réprobation et de terreur existait autour de Candida.

— C'était sans doute à cause de son engagement aux côtés des Républicains. Dans son milieu, cela semblait scandaleux, démoniaque presque.

— Peut-être, oui. Mais elle a vécu avec l'un des chefs de la police secrète, un Hongrois ?...

— Elle l'a épousé.

— Mais elle était mariée !

— Deux fois même. Seulement, les formalités avaient été réduites au minimum. En 1936, il suffisait de se rendre dans un commissariat et de déclarer qu'on divorçait d'un tel pour épouser tel autre. Elle a divorcé d'avec ton père pour se marier avec ce Hongrois.

— Tu crois qu'elle l'aimait ?

— Elle était morte de peur et prête à tout pour échapper au piège. D'ailleurs, il n'a pas survécu longtemps, tué au front.

— Ç'a dû être terrible pour Nino, tu ne crois pas ?

— Pour lui, tout était terrible en ces mois de massacres. Je ne crois pas qu'il en ait voulu à Candida de chercher à survivre par tous les moyens. Dans leur milieu, c'était le sauve-qui-peut. »

Blonde, avec cette coiffure qu'Antoine de Paris faisait alors aux élégantes, un ruban de velours du côté gauche, elle fixait l'objectif d'un air grave, sans un sourire. Une brume de mélancolie voilait son regard. Elle posait avec Carlos, qu'elle n'avait pas revu depuis quatre ans et qui, pâmé de bonheur, appuyait sa joue contre sa tête. C'était à l'automne 1942, à Madrid.

Une deuxième arrestation, des interrogatoires, la menace d'une extradition avec la perspective, au bout, du peloton d'exécution : l'enfant avait servi de monnaie d'échange. Elle se retrouvait seule, en chemin pour l'Afrique du Nord. Est-ce ce souvenir tout proche qui mettait cette ombre dans son regard ? qui fermait son sourire ? qui lui donnait cette expression de mélancolie vague ?

1944, elle se retrouvait à Alger après un passage par le Maroc. À nouveau brune, la chevelure opulente, tenant entre ses mains une liasse de feuillets, le regard baissé sur son texte, elle haranguait, devant la grotte où Cervantès aurait été maintenu en captivité, une foule d'exilés espagnols. Auprès de Pierre Crousac, elle vivait une quarantaine épanouie, l'une des périodes les plus heureuses de son existence, toute sa correspondance en témoignera.

1947, une femme plus empotée, avec toujours le même profil orgueilleux, assise au milieu d'un groupe, probablement dans une brasserie. La coiffure stricte, en chignon, le nœud papillon, le tailleur sévère lui donnaient un air ambigu, renforcé par l'austérité de l'expression.

201

« Qui te l'a donnée ? demanda l'enfant.

— Un lecteur qui l'avait hébergée à Limoges, avec sa femme.

— Elle n'avait pas de logement ?

— Elle vivait avec Pierre Crousac, l'ingénieur dont nous a parlé Mathilde. Il se trouvait être un parent de mon lecteur.

— Qu'est-ce qu'il en disait, ton lecteur, de Crousac ?

— Eh bien ! ils s'étaient perdus de vue au début de la guerre ; quand il l'a retrouvé, en 1941, à Toulouse, Pierre Crousac prenait des airs de mystère, suggérait qu'il travaillait pour les Anglais.

— C'était un espion ?

— Peut-être. Je m'y connais mal.

— Elle l'a rencontré au Maroc ?

— Probablement, puisqu'ils sont arrivés ensemble en Algérie.

— Elle l'a aimé ?

— Comme tous les autres, je suppose. Elle a toutefois écrit qu'il avait été le seul homme à lui faire découvrir le plaisir physique.

— Ils voulaient se marier ?

— Je ne sais pas. Ils ont vécu un temps chez sa mère à lui. Il l'a présentée à son cousin, mon lecteur. Tu suis ?

— Évidemment ! Ce n'est pas compliqué.

— Tu as de la chance. Elle travaillait à la radio, écrivait des articles, organisait des concerts. Elle aurait même créé une œuvre inédite, d'un compositeur moderne.

« Un jour, elle a sonné à la porte du cousin, mon lecteur. Elle venait de se brouiller avec son amant. Le cousin et sa femme lui ont offert l'hospitalité. Elle est restée deux ou trois mois chez eux. Il la revoyait assise à sa table, dans la salle à manger, rédigeant ses papiers.

« Ensuite, elle a pris un appartement, assez coquet

202

d'après mon informateur, que des émigrés espagnols l'ont
aidée à aménager.

— Tous ceux qui l'ont connue se souviennent d'elle,
murmura l'enfant.

« Pourquoi ils se sont séparés, Crousac et elle?

— Crousac n'en a rien dit à son cousin. Il évitait même de
citer son nom, comme si elle n'avait jamais existé.

— Ce fut sûrement une déception. C'est pour ça qu'elle
est venue à Paris, tu ne crois pas?

— Sans doute, oui. »

On la retrouvait, en 1950, dans son bureau, rue Cognacq-
Jay, alors qu'elle travaillait à la R.T.F. Le menton levé, l'œil
comme exorbité, la chevelure relevée au-dessus du crâne.
Plus espagnole que nature, jusqu'à la caricature. Forte déjà.
Le médaillon pendait ostensiblement sur sa poitrine géné-
reuse.

Depuis un an, elle vivait avec Félix, rue Portefoin.

Accompagnée de Luz et de Carlos, dans une rue de Jaén.
Photo presque drôle dans sa banalité bourgeoise. Lui, déjà
bedonnant, l'air satisfait, haut fonctionnaire assuré d'une
promotion tranquille; sa femme, de clair vêtue, avec la
lourde élégance de la province espagnole. Candida, enfin, en
robe noire à jupe plissée, petite et boulotte, sac au bras et
éventail à la main, dans le rôle de la mère andalouse.
(Automne 1951, j'arrivais à Huesca, je marchais dans le
Coso Bajo, me cognais à d'autres énigmes.)

« Quel âge avait-elle, là? demanda Xavier, en montrant
du doigt le portrait de face, avec son beau visage et son
regard toujours mélancolique, sous lequel s'étalait la dédicace : " *À mon Michel, mon seul amour, mon fils, Maman.* "

— Cinquante ans. C'était à son retour d'Espagne. Elle
venait d'épouser Félix.

— Elle était encore belle, dit l'enfant pensivement.

« Tu as remarqué que jamais elle ne sourit?

— Oui. Déjà dans sa jeunesse, elle avait cette expression d'orgueil.

— Tu penses qu'elle a été malheureuse ?

— Tout le monde la trouvait rieuse, au contraire, gaie, vivante.

— Mais dans le fond ?

— Quel fond ?

— Les traits changent, dit l'enfant, mais l'expression reste. »

Je ne répondis pas.

1956, avec moi, rue de Longchamp. Une quinquagénaire altière, portant haut les vestiges de sa beauté.

Cette atroce image d'agonie, enfin.

L'enfant passait de l'une à l'autre, intervertissait leur ordre, comme s'il jouait avec les morceaux d'un puzzle.

« Ce n'est jamais tout à fait la même et c'est toujours elle, dit-il en poursuivant sa pensée. Il y a donc quelque chose.

— Le style, oui.

— C'est quoi, le style ?

— L'idée qu'on a de soi. Un port de tête, un maintien.

— Mais le style... ça meurt aussi ? dit-il d'une voix plaintive.

— Je le pense, oui.

— Selon toi, il ne reste rien de rien ? »

J'hésitai un instant avant de lui répondre. Je l'observai, penché, une expression tendue sur son visage.

« Je ne crois pas, Xavier. »

Il tourna vers moi ses yeux qui luisaient étrangement. Il me fixa de la sorte un temps qui me parut très long.

« Mais..., protesta-t-il, elle n'était pas qu'un style.

— Je ne vois rien d'autre.

— Tu ne l'as pas connue comme moi. Tu n'as pas dormi contre elle, tu n'as pas respiré son odeur... »

Je le pris dans mes bras, le serrai contre ma poitrine.

« Moi, je sais..., hoqueta-t-il. Il y a autre chose.

— C'est possible, mon grand. Je n'ai pas la moindre idée sur cette chose.

— Elle n'est même pas vraie ! s'écria-t-il avec rage.

« Je ne la reconnais pas ! Elle n'était pas comme ça ! »

D'un geste violent, il éparpilla les photos sur le tapis. Je le serrai plus fort, le berçai, embrassai ses cheveux.

« Tu veux un mouchoir ? »

Il essuya ses yeux, renifla.

« Avant qu'elle m'ait... Bien avant, je savais qu'elle me lâcherait. Je l'ai toujours su. Dès qu'elle s'éloignait de moi, je tremblais intérieurement.

— Comment pouvais-tu le savoir ?

— Je le sentais dans sa voix, dans l'odeur de sa peau, je le lisais dans ses yeux. Pourtant, dit-il en détournant son regard, je te jure qu'elle m'aimait de toutes ses forces, comme elle n'a jamais aimé personne. La photo, là, c'est pour moi. Elle n'a jamais cessé de m'envoyer des signes. Jusqu'au bout, je me tenais près d'elle, elle me parlait. Tu crois que je me raconte ça pour me consoler, mais je suis sûr de ne pas me tromper.

— Elle l'a tout de même fait, Xavier. Elle t'a échangé contre sa vie.

— Oui. Mais j'étais d'accord avec elle. J'étais d'accord, tu comprends ? Qu'est-ce qu'elle pouvait faire d'autre ? C'était le seul moyen qu'on lui laissait. De toute façon, nous étions perdus.

— Xavier, tu oublies qu'elle a eu deux ans pour te sauver, te renvoyer en Espagne ou te confier à ton oncle. Tu ne te rends pas compte...

— Je sais tout ça. Seulement, elle se sentait seule, perdue. Elle... J'étais sa protection.

— Mon bonhomme, est-ce que tu penses aux deux autres ? À toutes ces années où elle aurait pu... ?

— Tu crois que je ne souffre pas de tout ce...? Mais j'ai *aussi* pitié d'elle. J'ai pitié malgré tout.

— Après que nous l'eûmes retrouvée...

— Tu ne comprends donc rien? cria-t-il presque en levant vers moi son visage mouillé de pleurs.

« Elle ne s'est jamais pardonné. Sa haine, c'était de la honte renversée. Est-ce que tu imagines sa vie avec cette chose, toujours, devant elle? Nous lui faisions peur, toi surtout, à cause de tes livres.

— Peur de moi?

— Peur du souvenir. Peur de la lumière. Même Saint-Cloud, elle n'a pas pu supporter, ni les Antilles. Elle ne se sentait rassurée que dans la pénombre de la rue des Archives. Elle y retournait toujours, comme elle retournait vers Félix, parce qu'il appartenait à un autre monde, obscur lui aussi.

— Comment est-ce que je ferais sans toi?

— Tu écrirais avec ta tête », dit-il avec un sourire timide.

Je passai le mouchoir sur son visage, baisai son front.

« La tête ne suffit pas. Si on dormait? »

Il ramassa les photos, les glissa dans l'album qu'il remit à sa place, sous le lit. Une seconde, il parut hésiter, garda la dernière entre ses mains, me la tendit.

« Tu as raison de la préserver. Elle est belle quand même. »

XI

Après sa crise de désespoir, l'enfant retrouva son humeur paisible. Il ne fit plus la moindre allusion, ni au choc qui l'avait ébranlé ni même à Candida. Je remarquai toutefois une subtile modification dans son comportement. S'il redoublait de gentillesse et d'attention, il trouvait mille prétextes pour ne plus m'accompagner rue des Archives. Il restait chez Rémy, allongé sur le petit lit, tout le poids du corps sur le coude gauche, plongé dans la lecture. À mes questions, il répondait qu'il ressentait le besoin de récupérer. Sa mine n'était pas, il est vrai, florissante. Pâle, les joues amaigries, j'aurais pu croire qu'il couvait une de ces grippes dont il s'était fait, depuis ses premières années, une spécialité. Brûlant de fièvre, secoué de frissons, toussant avec une sorte d'arrachement des poumons, Candida, qui redoutait pour lui la pneumonie dont était morte, à l'âge de deux ans, son unique fille, se glissait sous les draps, se collait contre lui. Elle l'étreignait avec une sorte de rage, ne le quittait pas avant que la fièvre n'eût cédé. Peau contre peau, ils restaient soudés des jours et des nuits, se parlaient, s'inventaient des histoires.

Il ne s'agissait pourtant pas de la grippe, ni d'aucune maladie physique. Comme après toute secousse trop forte, Xavier effectuait un lent mouvement de retrait. Je le sentais s'éloigner, reculer vers un espace sans temps où la langue se dissout, s'évanouit, tente péniblement de se dégager des impressions et des sensations confuses pour accéder à l'affranchissement du symbole.

Bientôt, il aura disparu tout à fait. Plus aucun son ne franchira ses lèvres. Il restera allongé, son visage tourné vers la terrasse qu'on aperçoit à travers la porte vitrée. Il deviendra inerte, avec ce regard lointain qui me serre le cœur. Ni mes exhortations ni mes caresses ne le tireront de sa léthargie. Combien de jours, de semaines durera son absence, impossible de le savoir. Caché dans la caverne de ses songes, il poursuivra une existence obscure et mystérieuse. Nulle hostilité dans son attitude, au contraire. Dans ces périodes d'hibernation, il se montre d'une docilité et d'une douceur terribles. Il répond sagement aux questions, fait ce qu'on lui demande de faire, n'offre pas la moindre résistance. Cette résignation paisible est pire à supporter que la colère ou la révolte. Sentant la peine que son éloignement me cause, l'enfant me sourit, d'un sourire si lointain toutefois, si vide, que j'en ai les larmes aux yeux.

Ses absences me font voir et sentir ce que fut son attitude, entre 1942 et 1945. Elles m'aident aussi à comprendre pourquoi tant de gens l'ont aidé, protégé, aimé. Une détresse si radicale, muette et abandonnée, suscite un élan de révolte et de pitié active. On voudrait l'arracher de force à ce marécage où il s'enfonce sans réagir.

Sa glissade n'est cependant pas de la faiblesse. En se dénouant, en relâchant tous ses muscles, l'enfant libère son esprit, qui, dans ses vagabondages, puise une mystérieuse énergie. Il retourne aux sources de sa vie, c'est-à-dire aux mots. Des récits encore balbutiants se cherchent en lui, une musique se lève, à peine audible. Un rythme l'habite auquel il accorde les battements de son cœur.

Déjà cette musique traverse mon sommeil, s'insinue dans

208

mes rêves. Je crois entendre une mélodie très simple, comme une comptine. Ainsi, de lui à moi, la transfusion s'opère-t-elle.

Je profitai de cette hibernation de mon double pour rencontrer des amis, Manuela et Paul d'abord, parmi les plus proches par le cœur et par l'esprit.

Je dînai dans leur appartement du Marais, leur racontai brièvement ce que je venais de vivre. À chaque heure décisive, je me tournais vers Manuela, une Espagnole mince et menue, à la beauté sombre, tout en nerfs. Son énergie chaque fois me revigorait. J'aimais son logement, sans prétention ni décorations artificielles, chaleureux, bourré de livres. J'aimais ses ouvrages. J'aimais son regard farouche. Devant elle comme devant Paul, je me sentais compris avant d'avoir achevé mes phrases. Ils devinaient mes intentions, suivaient avec curiosité les sinuosités de mon projet, en pressentaient ce que Paul appelait l'achèvement définitif, c'est-à-dire le moment où la tapisserie révélerait tous ses motifs. Ils flairaient l'existence de mon double et ils ne manquaient pas d'y faire des allusions légères, se demandant comment l'enfant se tirerait de cette affaire.

« Je peux te l'avouer, maintenant, dit Manuela, quand tu nous as appris la nouvelle, ma première réaction a été de me dire que tu allais être, enfin, délivré. »

Paul, lui, résumait le projet que j'aurais eu tant de mal à définir moi-même.

« La biographie n'existe pas, dit-il de sa voix timide. Il s'agit d'un récit toujours à reprendre, d'une suite inachevée de tentatives pour totaliser les expériences d'une vie. Là, réside la force du roman, qui totalise, mais dans l'ambiguïté, coule les souvenirs et les impressions, les fabulations même, dans un récit organique, qui les transcende et les sublime.

209

Comme dans la vie, les contradictions et les énigmes subsistent.

— La vie est un songe, fit Manuela. La littérature espagnole ne parle que de cette confusion. Le rêve que nous devenons nous sauve peut-être du désespoir lucide. »

Je sortis de chez eux ragaillardi, je sifflotais en marchant vers la place de la Bastille. La pluie me parut agréable, nimbée d'une poésie tendre.

De retour à Montmartre, je m'installai dans la pièce du fond, sur la cour. J'étalai devant moi la correspondance. Ma vie, qui dépassait de beaucoup mon existence, reposait dans mon esprit, close — enfin accomplie. Tel un vitrail qu'un rayon de soleil magnifie, ces archives, dans la réverbération de leurs lumières, suggéraient l'existence, non d'une personnalité rendue dans sa vérité immuable, non d'un caractère achevé, mais d'un esprit pris au piège de ses chimères et de ses illusions. J'espérais moins découvrir dans ce tas de papiers jaunis une vérité que je savais à jamais inaccessible que l'unité du roman, ses illuminations.

Comme s'il avait su que toutes ses interrogations, ses énigmes et ses peurs livreraient leur sens, l'enfant s'était glissé dans la chambre. Il avait chaussé des pantoufles, passé un tricot sur son pyjama. Il prévenait ainsi mes protestations. Son regard tranquille me signifiait qu'il ne parlerait pas, écouterait, caché dans ses rêves.

Tout commençait en mars 1973 dans ce restaurant où j'avais appris à Candida l'existence d'Aldo et où je lui avais tendu le livre de son fils. Elle commençait, bien sûr, par nier, protester, menacer. Quand j'eus cité le nom de la propriété de Nino, en Estrémadure, elle accusa néanmoins le choc.

Les événements dès lors s'emballaient. Dans la nuit, Candida dévorait le livre, se jetait sur sa plume, écrivait à son fils, chez son éditeur. Ils se rencontraient quelques jours après, tombaient dans les bras l'un de l'autre, pleuraient, s'embrassaient. L'esprit de la mère aussitôt prenait feu. Elle retrouvait sa jeunesse perdue, s'abandonnait aux chimères, se remettait à faire mille projets. Elle se justifiait également, essayait des versions contradictoires, accusait.

Leur idylle ne durait pas. Aldo, qui projetait de se marier, rejoignait sa fiancée et sa future belle-famille à Antibes. En avril, il se trouvait sur la Côte d'Azur, d'où il écrivait chaque jour à sa Mamita, lui téléphonait. Ses talents éblouissaient sa future belle-famille, son histoire l'avait émue. Ces retrouvailles romanesques avec une mère perdue depuis près d'un demi-siècle apparaissaient comme un signe du destin. Aussi la promise se sentait-elle doublement élue d'être le témoin privilégié d'un miracle.

Légère contrariété au milieu de ces réjouissances : Aldo découvrait qu'il n'avait plus le sou, sauf, dans sa poche, un chèque de vingt mille dollars, sur une banque grecque, pays où il possédait une maison. Qu'à cela ne tienne, le beau-frère avancerait l'argent en attendant l'encaissement du chèque. Il présentera même Aldo au directeur de son agence bancaire, qui lui ouvrira un compte et lui fournira des chèques volants, le temps de régulariser sa situation. Le futur beau-frère, toute la famille ne servent-ils pas de caution morale ? Séduit par ce personnage brillant, qui connaît toutes les célébrités du monde, qui a visité tous les pays ou presque, le banquier sort enchanté du repas pris ensemble. Le dollar ne cessant de fluctuer, il convient, avant de procéder au change, de s'assurer du meilleur cours, ce qui laisse un délai.

Aldo répand ses chèques volants, puise joyeusement dans le compte du presque beau-frère. Il achète une voiture, couvre sa promise de cadeaux, fréquente les bars, les boîtes de nuit, les plus grands restaurants, téléphone aux quatre coins du monde, mais d'abord à Candida, qui exulte. N'est-ce pas la fortune revenue? la fin de la médiocrité? la vie luxueuse et insouciante qu'elle a menée jadis? Surtout, n'est-ce pas un nouveau départ, une page vierge où elle pourra recommencer son histoire?

Bien entendu, le chèque, volé qui plus est, revient impayé. Quant à la maison d'Hydra, elle n'existe que dans les rêves d'Aldo. La fiancée tombe de haut, sa famille s'effondre, et le promis, devant une double plainte, de la banque et du beau-frère, prend la poudre d'escampette, non sans avoir rompu ses fiançailles.

À Paris, Candida s'affole, téléphone, écrit dans tous les sens pour tenter de retrouver le fils évanoui aussitôt que trouvé. Sans hésiter, elle adopte le parti d'Aldo, qui crie à la vengeance d'une femme blessée dans son amour-propre. Comment ose-t-on suspecter sa bonne foi? Ce chèque, assure-t-il, il ignorait qu'il fût en bois et du reste...

Gérard, son avocat, devenu son ami depuis qu'il l'a rencontré au parloir de la Santé, indique à Candida que, aux dernières nouvelles, Aldo se trouverait en Suède, à une adresse qu'il lui communique. Elle télégraphie, envoie courrier sur courrier. En vain.

S'il a bien passé quelques mois en Suède, probablement à l'ombre, Aldo réapparaît bientôt en Allemagne, à Cologne, où il loge dans le plus grand palace. Il se trouve en effet au cœur d'une intrigue parmi les plus secrètes et les plus dangereuses. Il a rencontré à son hôtel les émissaires de l'O.L.P. qui viennent, à Paris, de s'entretenir avec le président Pompidou. Ils lui ont confié des documents d'une importance explosive, dont il entend faire usage dans l'ouvrage qu'il prépare sur Septembre Noir, livre vendu à l'avance à l'un des plus grands éditeurs parisiens. Bien malgré lui, il se trouve au cœur de la lutte sans merci que se

212

livrent les services secrets israéliens et les agents palestiniens. Il risque à tout moment la mort et doit, en conséquence, s'entourer de mille précautions.

Devant tant de mystère, Candida ne tient plus en place. Ce n'est pas seulement sa jeunesse qui lui revient, c'est toute sa vie, comme magnifiée.

Depuis son bureau, elle suit jour après jour la fuite aventureuse de ce fils de génie, pris, d'un côté, entre les privalités opposant les unes aux autres les différentes factions palestiniennes et les services israéliens, de l'autre.

Le voici à Vienne, d'où il se prépare à partir pour le Chili, avec une escale à Lisbonne pour visiter Kala. À quatre-vingt-quatre ans, la malheureuse femme se voit en effet contrainte de travailler : plusieurs mois par an, elle donne des cours de français à un vieux médecin portugais. Aldo achète un billet d'avion, loue une voiture, sillonne le pays. Il continue de téléphoner longuement à New York et à Londres, à Athènes et à Buenos Aires. Il mène un train de vie princier.

Las ! plainte, une fois encore, d'Air France, de l'agence de location de voitures, de l'hôtel, de... — car il a réglé ses factures avec les chèques volants d'Antibes. Arrêté, jeté en prison, il est enfin fixé.

Partagée entre bonheur et fureur, Candida se lance sur les routes, court à Vienne, dédommage les victimes. À soixante-huit ans passés, elle fait preuve d'une énergie fantastique, dépense un argent qu'elle ne possède pas, plaide surtout, inlassablement. Dans sa chambre d'hôtel, elle rédige à l'intention du président du tribunal un Mémoire pathétique où elle retrace le destin de ce fils qu'elle n'a, certes, *jamais abandonné* mais qui *lui fut enlevé par sa famille*. Elle évoque sa passion pour Nino, son mariage forcé, sa vie de luttes et d'errances, le miracle, enfin, de ce fils soudain retrouvé.

La défense joue sur un double registre, sentimental, et

proprement juridique. Aldo n'est pas, martèle-t-elle, ce Martinez qu'on s'obstine de tous côtés à vouloir confondre avec lui et qui, dans plusieurs pays, s'est rendu coupable de multiples escroqueries, de vols et d'abus de confiance. Candida n'est-elle pas la mieux placée pour connaître l'identité de son fils ? Il ne saurait s'agir que d'une homonymie, d'une confusion scandaleuse. Il arrive, certes, à Candida de se contredire, sans même s'en apercevoir. N'affirme-t-elle pas, dans un paragraphe : « *Il a toujours refusé de s'appeler Martinez qui lui fut donné, faute de mieux, à sa naissance* », puis, dans le suivant : « *... Il a signé de ce nom — Martinez — ses deux premiers romans.* » Les juges autrichiens ne se montrent pas vétilleux et rendent un verdict indulgent; ils renoncent même à donner suite à la demande d'extradition présentée par l'Allemagne. Cette mère meurtrie par la vie, privée de ses enfants, a su les émouvoir. Ils expulsent Aldo, qui file en Suisse, où elle le rejoint.

« *Je suis, mon cher petit,* m'écrit-elle, *très fière de moi pour une fois... Il y a eu un bon avocat mais il me semble surtout que c'est mon exposé écrit au président, fait loyalement, sans astuce aucune et de tout mon cœur qui a réalisé le miracle.* »

Il était plus aisé de toucher des magistrats étrangers, ignorant tout de ce roman, que de persuader les deux vieilles demoiselles qui, tout de même, en savaient un bout. En une lettre, la première qu'elle leur adresse, Candida réussit presque le tour de force.

« *Madame,* lui répond Jeanne, *Au sujet de votre longue confidence dont nous reparlerons, bien sûr, ce retour consciencieux sur votre enfance, votre adolescence, votre vie de jeune femme et de femme au seuil du troisième âge, cette marche arrière vers des années si pénibles a dû vous coûter à écrire.*

« *Vous avez été la victime de vos plus proches parents ! De ceux dont vous étiez en droit d'attendre le plus.*

« *Il est vraiment douloureux de penser combien ces dernières quarante-cinq années si pénibles auraient pu être tellement différentes pour vous, pour vos deux enfants. Et j'ajouterai pour nous, qui n'aurions pas vécu tant de difficultés, d'inquiétudes, de responsabilités et, bien sûr, de sacrifices. »*

D'emblée, Candida a trouvé le ton susceptible de désarmer ces innocentes, celui de la confession sincère, si douloureuse à écrire. Contrition restrictive cependant : « *Pauvres enfants dépossédés de tout par la criminelle avarice et la haine de ma mère ! Elle assassina en fait* TROIS ENFANTS *et non* DEUX *car j'étais moi-même alors une enfant, la plus affolée et dépourvue* (sic) *de tous...* » Claire se trouvait prévenue, les fautes de Candida, si faute il y avait, étaient d'abord celles de sa mère.

Je voyais les raisons qu'avait Candida de vouloir échapper à sa responsabilité. Avec moi d'ailleurs, elle ne songeait pas à tricher : « *En emmenant, convaincue par ta grand-mère, le petit Andrès et Aldo à Biarritz, je croyais les sauver d'un enfer de faiblesse et d'alcool dont je ne pouvais plus supporter l'horreur.* » Elle avouait même le délaissement où vivaient les deux petits : « *Elles* (les trois sœurs) *sauvèrent les enfants, arrivés bien mal en point.* » Cette lucidité montrait que Candida n'était pas dupe. Là où Aldo fabulait avec une sincérité maladive, elle trichait de sang-froid.

Il restait le fait, difficile à nier, qu'elle ne s'était, depuis 1936, jamais manifestée. Pour les demoiselles, l'explication passe par la guerre, l'exil, les infortunes. Aux avocats et aux juges, elle peut néanmoins présenter une autre version : « *Ce fils qui me fut enlevé* (sic) *à l'âge de sept mois... Son instabilité a été telle qu'il m'a été impossible de le situer tout le long de ma vie.* » En clair, Aldo, par ses voyages et ses errances, est le premier responsable de sa solitude. Il n'avait guère bougé jusqu'à l'âge de vingt ans, avait toujours gardé le contact avec ses mères adoptives ; quant à Andrès, il était resté à Bayonne jusqu'en 1960.

« *Voyez-vous, mon cher Maître, ce n'est pas un " complexe de*

215

culpabilité ". *Loin de là. En fait, je l'aurais beaucoup plus grand si, luttant pour mes fils qui m'étaient refusés (sic), j'avais traîné Aldo derrière moi dans mon existence bohème, misérable et errante. Je savais que ces saintes demoiselles, parfaitement calmes et bourgeoises, éducatrices d'élite de surcroît, devaient lui assurer une éducation et une stabilité que je ne pouvais pas offrir.* »

Comment Gérard lut-il ce plaidoyer ? Elle aurait donc voulu reprendre ses fils — mais quand ? — qui lui auraient été refusés — par qui ? La scène s'animera. Claire, frustrée dans sa maternité, aurait, lors d'une entrevue dramatique, refusé de lui rendre ses fils. La preuve ? Sa fuite dans la Nièvre où elle alla cacher Aldo pour le soustraire à sa véritable mère.

La pièce une fois remaniée, répétée, éclairée, Candida pouvait se jeter dans l'action. La voici, deux longs week-ends consécutifs dans un hôtel du Luxembourg, enfin tête à tête avec son fils. *« Voilà, mon amour, ce que je brûle de te dire. Je pense à toi, je rêve de toi..., je ne sais plus où j'en suis. Tiens, c'est presque... incestueux ! »*

Presque ? Sur ce séjour, elle rédigera une vingtaine de feuillets manuscrits, ébauche d'un récit qui restera inachevé.

« La mère — tout juste retrouvée et, par là même, plus débordante de tendresse —, la mère le voyait aller et venir, presque nu ; en silence, elle admirait la puissance du torse, la douceur satinée de la peau, la hanche étroite prise dans le slip minuscule.

« Partager pour quelques heures miraculeuses la vie d'un homme jeune — le plus sien, le seul vraiment sien parmi tous les autres hommes — était une sorte de prodige pour Candida, la femme sans chance, celle aux vies multiples et tronquées. Un miracle, oui...

« Candida rêvait les yeux ouverts, sans cesser de regarder et d'admirer... »

Ils mangeaient seuls au restaurant, bavardaient sans fin, roulaient à travers la campagne.

Le soir, dans le hall de l'hôtel, Aldo donnait un récital,

216

qu'il dédiait à sa mère, assise au premier rang de l'assistance. Au programme, Brahms et Schubert, des lieder de Mahler, qu'il chantait d'une voix de baryton. Quels souvenirs, quelle nostalgie, cette soirée éveillait-elle chez Candida ?

Comme tous les amoureux, ils étaient seuls au monde, étrangers à la réalité, qui s'appelait Félix.

« *J'ai passé deux merveilleux week-ends avec notre Aldo au Luxembourg... Deux fins de semaine qui m'ont rajeunie... de quarante ans ! Mon mari avait eu le bon esprit de nous laisser seuls.* »

On devine la perplexité des demoiselles en lisant de pareilles lettres.

Les premières dissonances déchiraient la sereine harmonie. Affolé par ces dépenses, ces voyages incessants, ces rencontres dont il était exclu, le pauvre homme en effet trépignait, fulminait, menaçait. Devinait-il jusqu'où pouvait aller cette passion ? « *Envoie-le paître et, s'il le faut, pour de bon ! Qu'il aille compromettre la paix de qui il veut, pas la tienne ! Bougre de vieux dégoûtant qu'il est !* » Aldo ne s'encombre pas de circonlocutions. « *Quant à Félix*, insiste-t-il, *comme disait Christiane : Voort ! (prononcé Fourte), c'est-à-dire : Fuera !* » Dehors, donc.

À Biarritz aussi, l'inquiétude se manifeste : « *Soyez patiente avec votre pauvre mari qui souffre, lui aussi, soyez-en sûre. Mettez-vous à sa place... Il n'a pas la moindre responsabilité dans toute cette douloureuse affaire. Et pourtant, il " endure " comme vous... »*

Interdit de séjour en France, toujours sous le coup des plaintes déposées à Antibes, Aldo ne peut, sans risques, mettre les pieds sur le territoire national. La frontière de la Belgique passe à moins de cinq kilomètres de la propriété des Ardennes et Candida installe le fils aimé dans sa maison, où il sera à l'abri en attendant qu'elle débrouille ses affaires et lui trouve une situation digne de lui. Seul dans la grande bâtisse, assis au coin du feu, il écrit son livre sur l'O.L.P. (manuscrit et documents introuvables). Il se promène dans

217

le village, se lie avec les uns et les autres, téléphone toujours, depuis l'auberge du coin, emprunte à droite et à gauche, laisse quelques ardoises dans différents bars.

Félix se sent, non seulement ridicule, mais déshonoré. Il arrive à Candida de mesurer le danger et elle se tourne vers moi, me supplie de courir aux Ardennes. *« J'ai parlé à Félix très franchement... à moitié naturellement... Aide-moi à le calmer pour l'amour de Dieu car cela ne va pas du tout, mais alors pas du tout. »* Elle craint peut-être d'avoir franchi la limite. En fait, elle joue avec le feu.

« J'en termine avec Félix : c'est un misérable ! Comment ! Il t'a d'abord coupé tous les ponts ; t'a fait vivre ensuite dans un taudis, merde et pisse de chat compris ; t'a privée de toute existence normale — et maintenant, il s'en prend à nous ?... quel sordide individu ! »

Candida a réussi à dresser son fils contre Félix et à persuader Aldo que son mari le déteste. Elle évite ainsi ce qu'elle redoute le plus au monde : une confrontation d'où la vérité pourrait jaillir. Entre ses vies passées, elle élève des cloisons étanches. Chacune de ses existences antérieures devient un roman, sans lien avec les autres. Elle seule détient la clé qui ouvre ces chambres interdites.

XII

Tapi dans son silence, l'enfant écoutait ces voix venues de plus loin que la mort. Il regardait le scribe penché au-dessus de ces correspondances qu'il avait, en trois tas, disposées sur la nappe aux motifs indiens. Il puisait dans l'une ou l'autre de ces piles, relisait certains passages, les recopiait de sa petite écriture penchée. Il s'appliquait à respecter l'orthographe et la ponctuation, à souligner les mots ou les phrases d'après le modèle original, glissait ensuite ses copies dans des chemises aux couleurs distinctes. Il procédait avec précaution, tel un archiviste qui étudierait de vieux manuscrits, rédigés en une langue ancienne.

Aussi loin qu'il remontât dans ses souvenirs, Xavier retrouvait son double courbé sur ses papiers. Aujourd'hui cependant, l'enfant avait le cœur serré devant cette application studieuse. Car ce n'étaient pas des archives poussiéreuses que le scribe compulsait et classait : c'étaient des lambeaux de leur vie. Tel un médecin légiste qui procéderait à l'autopsie de son propre cadavre en y mettant toute sa science, toute sa scrupuleuse minutie, l'écrivain incisait un cerveau rempli de souvenirs et de désillusions, d'espoirs et d'abattements. L'indifférence apparente avec laquelle il remuait ce corps inerte et froid avivait la peine de l'enfant, qui savait ce que cachait cette impassibilité. Rien ne

219

comptait pour le scribe que de ne pas céder à l'émotion. Plus il se heurtait à l'exaltation, plus aussi il contraignait sa forme. Il resserrait, coupait, afin que chaque mot conservât sa charge. Sous le métier cependant, l'esprit bouillonnait, le cœur s'affolait, la poitrine suffoquait. Plusieurs fois durant cette lecture, Xavier avait été tenté de hurler : « *Assez !* », mais il avait retenu son cri, comprenant que c'était moins le souvenir que son double traquait avec cette patience forcenée qu'un futur possible, une vie, enfin, humaine. L'enfant demeurait immobile, dissimulait son désarroi, éteignait son regard. Des tics nerveux, des spasmes autour des lèvres, des battements des paupières trahissaient son agitation inté-rieure.

Xavier se sentait d'autant plus ému qu'il se reprochait de s'être montré, en 1973, dur et injuste envers son double. Le scribe venait de subir une grave intervention, il avait frôlé la mort ; mal remis encore de ce choc, il se trouvait en convalescence quand le hasard avait mis le livre d'Aldo entre ses mains. Or le premier mouvement de l'enfant avait été de courir à la rencontre de ce demi-frère inconnu dont il avait si souvent rêvé. Profitant de la moindre résistance de son jumeau, l'enfant se rappelait qu'il avait alors tenté de lui imposer sa volonté. Il avait mal supporté la résistance du scribe qui refusa tout net de céder aux effusions. Furieux, l'enfant boudait, se montrait de méchante humeur. Il reprochait à l'écrivain sa froideur, son insensibilité, son manque de cœur. Avec perfidie, il lui chuchotait qu'il serait seul responsable de ce qui ne manquerait pas d'arriver à Aldo, livré sans défense à Candida. Mais son double ne céda pas.

Xavier revoyait l'écrivain, couché sur le dos, les yeux grands ouverts. La maladie l'avait rendu squelettique, ses muscles avaient fondu, le moindre mouvement lui coûtait. Il passait ses nuits à ruminer, ressassant ses souvenirs. Aujourd'hui, Xavier comprenait que son double n'avait agi de la sorte que pour le préserver, lui. Ils vivaient dans un paysage pur et lumineux, au pied des Alpilles; ils faisaient de lentes promenades au soleil de la Provence; ils habitaient une petite maison discrète et cachée. Ce bonheur si durement conquis, son double ne voulait pas le compromettre.

Comment n'avait-il pas eu pitié du scribe, si faible alors, épuisé au moindre effort, et qu'il avait harcelé sans égards pour son état? Il aurait voulu demander pardon à l'écrivain pour son attitude passée, lui dire...

Il ne bougea pas, car il prévoyait sa réaction d'ironie moqueuse qui, chaque fois, l'arrêtait dans ses élans : « *Qu'est-ce qui te prend? Tu donnes dans les effusions pleurardes, toi aussi?* » C'était de la plaisanterie, bien sûr; cela le peinait quand même. Aussi demeurait-il blotti dans son fauteuil, le regard vide, avec juste ces tics qui l'irritaient.

L'histoire, il la suivait avec une sorte d'accablement. Il n'en voulait pas à Candida d'avoir rêvé que sa jeunesse ressuscitait; il ne s'indignait même pas de ses mensonges et de ses calomnies : comment aurait-elle pu supporter ses souvenirs? Il ne s'étonnait pas davantage de sa passion trouble pour Aldo, ni de l'indécence de son aveu. N'avaient-ils pas, elle et lui, partagé cette intimité charnelle? Il pensait avec mélancolie à Félix, désespéré de se sentir soudain rejeté. Il plaignait les deux vieilles demoiselles, Claire surtout, obligée à quatre-vingt-quatre ans de s'envoler pour Lisbonne afin de gagner un peu d'argent. Tout, dans cette histoire, lui semblait triste, et il ne pouvait que réunir tous les protagonistes dans une identique pitié.

Le pardon de l'enfant, je l'avais entendu, tout comme je partageais sa pitié. Si j'évitais de me retourner, c'était pour qu'il ne surprît pas mon regard. J'avais craint de retrouver ma honte : je n'éprouvais que de la fatigue. Je m'étonnais même de mon indignation passée.

221

Ma voix d'alors, d'une ironie écœurée, résonnait de façon désagréable à mes oreilles. « *Tu connais mon attitude sur ce chapitre : si je me réjouis sincèrement que ces retrouvailles te causent de la joie et t'apportent une consolation, je ne veux ni ne peux, pour ma part, tremper à nouveau dans des situations que je ne comprends pas. J'ai eu ma part suffisante d'ennuis familiaux et autres.* » Elle se faisait grinçante : « *Je t'ai parlé très simplement et très loyalement du livre d'Aldo ; j'ai d'abord accepté tes dénégations. J'ai ensuite admis ta version de ces événements survenus avant ma naissance. Je ne crois pas devoir m'en mêler parce qu'ils te regardent seule. Naturellement, je peux, en tant qu'homme, avoir une opinion sur la question. Elle se résume en peu de mots : si l'abandon de tes fils est une chose qu'on puisse comprendre, ce n'est pas non plus une action dont on doive tirer fierté. C'est triste. Tu as sûrement des excuses, tu me les donnes, je les accepte. Il ne faut pas m'en demander davantage.* »

Dans les Ardennes, sous une épaisse couche de neige, la mère et le fils poursuivaient leurs chimères cependant que Félix sciait les bûches, réparait le toit, poussait des brouettes. Lui arrivait-il d'imaginer qu'il payait la facture d'un écart que Candida ne lui avait jamais pardonné ? Avec Aldo, dont il ne supportait ni les largesses ni le style impérieux, les altercations se multipliaient. Ce fut pour eux trois un Noël de rancune et de colère. La situation devenait à ce point tendue qu'Aldo quittait son refuge pour se rendre en Normandie, à Caudebec-en-Caux, chez les parents d'un ami, qui lui ouvraient généreusement leur foyer.

À la Saint-Sylvestre, Candida courait le rejoindre. Et Aldo d'offrir à sa mère un second récital, Bach et Chopin, dans l'unique hôtel confortable de la petite cité.

À Biarritz, l'inquiétude grandissait : « *Je me demande quelle est la raison qui vous a fait penser à ne pas rester plus longtemps dans les Ardennes. " Par prudence " ! me dites-vous.*

« *Je sais que vous étiez aussi dans cette famille à Caudebec pour la*

Saint-Sylvestre. Tout cela m'étonne et j'espère que M. Bouguet a passé, lui aussi, une bonne fin d'année. » Claire a tout deviné et ne peut s'empêcher de dire qu'elle a *comme un pressentiment.* Le même jour, la vieille femme écrit à Aldo et précise ses craintes : « *... tu m'écrivais aussi que M. Bouguet était jaloux de l'affection que ta mamita te témoignait — et tu me disais même qu'il faisait une crise de jalousie rétrospective, parlait de séparation... Ce serait un grand malheur et pour lui, et pour la mamita, et pour toi.* » Ni son innocence ni sa bigoterie ne l'empêchaient d'y voir clair.

Du reste, les événements se chargent très vite de la confirmer dans ses appréhensions. Candida est rentrée à Paris pour reprendre son travail. Aldo soudain découvre qu'il vient d'hériter de la fabuleuse fortune de Christiane, léguée par son père, le dirigeant du IIIe Reich. À preuve, il brandit la lettre à en-tête de la Banque centrale d'Allemagne qui lui demande ses instructions : où et comment virer les quatre millions de marks qui sont à sa disposition sur le compte n^o... ?

Le scénario d'Antibes se répète, à Rouen cette fois. Le directeur de l'agence de la B.N.P. se montre flatté et honoré de la confiance que ce client prestigieux se déclare prêt à lui faire. Il avance une ligne de crédit, discute placements, étonné de la compétence financière de son interlocuteur. Aldo consent même à prononcer une conférence au Rotary, invité et présenté par le banquier. Quant aux amis de Caudebec, ils sont à la fête. Les voici intimes avec l'un des hommes les plus riches du pays. Ils mettent, eux aussi, attendant que tout soit régularisé, leurs maigres économies à sa disposition. Il ne s'en prive pas. Avant de changer d'air, il fracture même leur coffre.

Plainte de la banque, des amis de Caudebec. Et fuite d'Aldo, qui roule vers l'Italie et la Grèce. Au col du Lautaret, dérapage sur une plaque de verglas, télescopage de plusieurs véhicules, vérification d'identité ; les gendarmes ne tardent pas à s'apercevoir qu'Aldo Martinez se trouve sous le coup d'un mandat d'arrêt pour les délits commis à Antibes. On le transfère à la prison de Grasse.

« ... *C'est la première fois qu'Aldo agit ainsi en si peu de temps* *(un mois !) et fait des détournements de pareille importance ! Oui,* *c'est la première fois !* »

Au cas où Candida hésiterait à comprendre, Claire souligne tout le passage. Elle revient sur la même idée, qui fait péniblement son chemin dans la tête des deux vieilles femmes — quatre-vingt-quatre et quatre-vingt-six ans ! « *Je vais donc vous redire ce que je vous ai déjà écrit dans* *une de mes lettres : Aldo n'a jamais fait tant de choses aussi* *graves, aussi importantes, et tout cela en l'espace de si peu de* *temps...*

« *Il y a certainement quelque chose de très grave — quoi ? — et* *il agit, affolé...* »

Toutes deux s'arrêtent au bord du cri.

Candida n'a rien entendu à ces allusions. En quoi la concerneraient-elles ? L'explication de ces désordres, elle la connaît. Aldo n'a volé que sous la menace de deux Arabes armés, membres d'une faction rivale de l'O.L.P. qui, après avoir retrouvé sa piste, l'ont contraint à ouvrir le coffre, espérant trouver les documents qu'ils recherchaient, ce qui explique, bien sûr, la fuite éperdue vers l'Italie, la Grèce.

« *Je ne comprends rien à cette version arabe,* tranche Jeanne, *ni à cette incursion incompréhensible chez les amis de Caudebec.* » Au-delà de l'écœurement, la vieille femme exhale sa douleur : « *Je suis accablée... et sans courage pour vous écrire, mais* *je tiens à vous dire quel gros chagrin je ressens à la lecture de* *tous ces mensonges, ces abus de confiance envers des gens qui n'ont* *eu que bonté pour lui !... J'éprouve de la honte en plus de ma* *peine.* »

224

Elle y arrivait à son tour, la pauvre Jeanne, à cette nausée de la honte.

S'imaginent-elles, ces malheureuses recluses dans leur maison du phare, que Candida va les laisser, enfin, tranquilles ? Elle ne leur fera grâce de rien, malgré leurs gémissements étouffés : « *Nous ne pouvons oublier, Jeanne et moi, que nous avons 86 et 84 ans.* » Candida l'oubliera pour elles. Ne file-t-elle pas sur les routes, entre Paris et Grasse, comme au beau temps de sa jeunesse ? Malgré ses soixante-neuf ans, elle passe ses nuits à rédiger de nouveaux Mémoires dont elle inonde le tribunal. Elle trouve l'énergie d'aller au parloir et, même, d'entretenir une correspondance avec des amis de son fils, détenus dans d'autres maisons d'arrêt, à Nîmes, à Paris. Elle se fait fort, une fois encore, de tirer Aldo de ce mauvais pas. Un jour, elle lui écrit qu'elle a rencontré maître Roland Dumas, un autre maître Fleuriot. Elle interviendra, si nécessaire, auprès du président de la République, à moins qu'elle n'aille parler avec celui qu'ils appellent, dans leurs lettres, « *notre François* ». Quant à Gérard, elle va lui verser aussitôt une deuxième provision sur ses honoraires. Tel un général, elle dirige les opérations, déplace des divisions, conçoit la stratégie.

Un premier échec abat un instant son courage. La sentence, malgré les Mémoires déchirants, est rude — quatre ans de prison ferme, cinq d'interdiction de séjour. Le tribunal de Grasse semble imperméable à la littérature. On se rattrapera à Aix, car on a interjeté appel. Des Baumettes, Aldo crie au déni de justice. On lui fait payer les fautes d'un sosie, d'un fantôme ! Loin de l'apaiser, Candida en rajoute dans l'indignation. Même le fidèle Gérard devient suspect de tiédeur. Car le roman d'amour se poursuit, s'exaspère même, jusqu'à l'exaltation. « *Je t'aime, mon Aldo, au-dessus de tout... Je t'embrasse mille fois, j'embrasse tes beaux yeux clairs, ton profil qui me ressemble.* » Le projet d'une vie à deux, au soleil

225

de la Grèce, loin de ce gêneur de Félix, prend forme, s'orne de mille détails, s'éclaire de lumières dorées. « *Des bronchites en juin ?* plaisante Aldo. *Pourquoi pas des coups de soleil en décembre ? Ah ! quand nous serons à Dakar ou à Santiago, je ne dis pas. Mais à Paris ?* » la géographie des rêves change, car Candida pense caser son fils comme attaché au cabinet de son vieil ami Senghor. Ce sera donc Dakar ; c'est Dakar, puisque l'affaire est dans le sac.

Devant la cour d'appel d'Aix, c'est la victoire que, depuis Biarritz, la pauvre Claire salue d'un triple Alléluia ! Ses prières ont été exaucées ; la condamnation de Grasse est réduite de moitié. Candida triomphe.

Il reste le dernier obstacle à franchir, Rouen, pour les délits commis à Caudebec. Ici, la prose de Candida exaspère la juge, qui la trouve déplorable. Sèchement, elle déclare à l'épistolière que sa fonction consiste à instruire des dossiers pénaux, non à ingurgiter du Delly. Fureur de l'auteur, colère du fils. Cette pimbêche n'entend rien aux grands sentiments.

Dans sa routine de détenu, Aldo s'organise. Il a l'habitude de l'hôtellerie carcérale, qu'il juge en fonction du cadre et des avantages. Les Baumettes lui plaisaient à cause de la vue dont il jouissait depuis sa fenêtre, sur les montagnes et la mer ; Grasse était tout simplement infect ; Rouen, l'établissement le plus sérieux et le mieux agencé. Il demande à lire *L'Archipel du Goulag*, en russe, car la version française est déplorable ; il traduit à l'intention de Candida un poème de Lin Piao — « *le malheur*, déplore-t-il, *est que je ne sais le dire qu'en cantonais, ce qui est nasillard et proprement affreux* » ; il envisage de composer un opéra et demande du papier à musique ; il travaille aussi à un roman sur un personnage de femme qui évoque Médée. À ce nom, Candida dresse l'oreille. « *Tu te trompes, si tu crois que le thème de Médée m'a hanté* (il s'agirait, en fait, d'une femme qu'il a connue chez les Rockefeller)... *je l'ai vue, cette femme, calculer froidement une façon*

226

de se débarrasser du père sans se rendre compte qu'elle condamnait à mort ses enfants, qu'elle adorait... N'imagine donc pas, je te prie, que jamais l'idée me soit venue de t'associer... » Évidemment, non.

Au fil des mois, seul dans sa cellule ou à la bibliothèque de la prison dont il s'occupe, une vague idée le travaille à son insu. Certains mots font surface, encore enrobés et comme enveloppés. « Car tu le sais bien, n'est-ce pas ? que je n'eus jamais contre toi ni haine ni préjugé, et qu'abandon, puisque abandon il y eut, ne pouvait trouver d'autre rime en moi que : don. » Soit, mais, deux fois en trois lignes, le mot se présente, abolissant la version des enfants enlevés, puis refusés. Des glissements imperceptibles se produisent chez Aldo, comme des affaissements de terrain. La moderne Médée qui n'avait rien à voir avec sa mère, voici qu'elle s'en rapproche dangereusement : « ... je mêle quelques-unes des plus belles inspirations de la Candida que tu connus, il y a quarante-six ans, sur les plages biarrotes... au mécanisme final de cette femme qui n'est Médée que par confusion, non par méchanceté, par substitution des réalités, non par corruption du sentiment maternel... » Cette fois, pas de doute, le modèle vivant se rapproche de l'archétype.

Confusion, substitution des réalités : l'auteur devinerait-il ce que l'homme ignore ? Comment Candida reçut-elle l'avertissement ? L'entendit-elle ? Certes, les projets résistent et, dans l'effusion d'un réveillon carcéral, l'enfant sans identité s'abandonne à ses chimères : « Je suppose que ce qui me fait rêver, ce soir, c'est la certitude de te trouver à ma libération et de partir avec toi... Incurables, te dis-je, toi et moi... Irrépressibles, irréductibles ! »

Le courrier passe par la censure ; au vu des lettres, la psychologue et l'assistante sociale se consultent, décident d'intervenir avant que la catastrophe se produise. Avec ménagement, elles tentent d'ouvrir les yeux de ce détenu dont, l'instabilité et la fragilité se sont, au contact de

227

Candida, embrasées. Ne devrait-il pas comprendre que sa mère et lui ne forment pas un couple ? Qu'ils ne sauraient vivre en état de fusion ? Ne s'inquiète-t-il pas de tant de promesses non tenues, de tant d'agitation, de tous ces noms célèbres jetés avec une légèreté inquiétante ?

Je comprenais les excellentes intentions de ces professionnelles. Je prévoyais néanmoins les conséquences de leur intervention. Car si les yeux d'Aldo se dessillent, s'il aperçoit soudain ce qu'il refusait de voir, cette vérité est de celles qui tuent.

Le ton brusquement change, la haine et le ressentiment débordent : « *Ce qui est mon affaire, par contre, et l'est, ce coup-ci, tout à fait, c'est que je ne comprends absolument pas ce que tu as voulu renouer en m'écrivant après la publication de mon livre. Car enfin, petite mère, renouer, c'est tenir ; ou, si ce n'est pas tenir, c'est, dans tous les cas, ne pas tolérer de nouvelles déchirures. Or, tu es en train de déchirer à belles dents ce qui était renoué...* »

Comment ? De quelle façon brise-t-elle le lien ? Elle a multiplié les promesses, annoncé qu'elle avait fait, vu, rencontré, payé : Aldo découvre qu'il n'en est rien et qu'au jeu des illusions, sa mère le bat. Elle lui avait déclaré avoir versé de substantiels honoraires à Gérard, qui ne lui demandait pas un franc, défendant Aldo par sympathie et par compassion. Il n'a jamais vu la couleur d'un chèque. Elle lui avait... Et les souvenirs, soudain, de remonter, avec leur goût de fiel : « *Je n'ai pas besoin de relire tes lettres des années 28-30 aux demoiselles pour y retrouver, telles quelles, avec tes qualités, tes insuffisances... Je pense à la lettre reçue à Saint-Parize-le-Châtel dans laquelle tu parles de ta volonté d'épouser mon père et, avec lui, de nous reprendre, Andrès et moi, alors que tu étais, au même moment, mariée avec le père de Michel... Ou au : " Je vais vous envoyer les beaux jouets que je leur ai achetés " — tandis que ni les jouets ni les mandats n'arrivaient jamais... Combien de fois j'ai pleuré en lisant ces lettres !* »

Il y a plus grave, Candida ne cesse de s'en prendre aux demoiselles, qui restent l'unique attachement de son fils : « *Autre chose qui m'échappe : la rancune exprimée envers Claire.* " *Elle ne m'a donné, écris-tu, que prières et sentiments* ", *alors que toi tu m'as donné, en sus,* " *aide matérielle* "... *Ah! tu me l'as donnée,* c'est vrai, et très généreusement, à partir du 23 mars 1973. J'avais 46 ans. Qui donc, pendant ces 46 années d'absence, m'a-t-il aidé matériellement, et avec quelle générosité. Élever entièrement un enfant de l'âge de sept mois à l'âge d'homme, puis ne cesser de l'aider en tout, dis-moi : est-ce là peu de chose, en comparaison de 45 ans d'absolu silence de ta part? »

Les choses sont dites, de ces choses qu'aucune réconciliation n'efface. Les signes de la maladie clairement établis, il ne reste qu'à établir le diagnostic. Il tombe, glacial : « ... *Je préfère aussi te dire que, pas une seconde, je n'ai cru que les années t'eussent changée en aucune façon. Telle tu fus à Biarritz, dans les années folles, telle tu es restée. Il ne faut jamais, Maman, croire les êtres moins clairvoyants parce que, peut-être, ils préfèrent ne rien voir... Ce n'est ni l'égoïsme, ni le manque de cœur, ni tel autre défaut bien banal, qui te fit me laisser jadis à Biarritz... C'est qu'en me retrouvant, maman, et je prétends que tu le sais, tu n'as renoué en réalité, ni avec moi, ni avec papa, ni avec Andrès (même par moi interposé), mais, à travers nous, avec un très ancien besoin de rêver ta vie... Je ne crois pas que tu respectes aucun lien, en dehors de celui qui te rattache à la jeune fille que tu fus.* »

À ce degré de lucidité, le regard se fait prophétique et Aldo peut tout naturellement écrire : « ... *plus que pour moi, c'est pour toi, mère, que je les redoute, ces déchirures. Tu étais hier indifférente, tu risques de te retrouver demain très aigrie...* » N'est-ce pas cette aigreur qui transparaissait dans la photo que Félix m'avait donnée?

Candida ravalera sa colère et son dépit. Elle a renoncé à ses rêves. Elle sait qu'il est trop tard pour recommencer sa vie. Malade, elle se rapproche de Félix, son unique soutien, de moi, qu'elle ne voit que de loin en loin, mais à qui elle écrit : « *Il m'est d'une infinie douceur de retrouver en toi — mon enfant adoré de jadis —, un ami, le seul.* »

L'ami ne se montrait pas complaisant. « *Je me suis éloigné de toi, écris-tu, et tu crois devoir trouver des explications. Soyons sérieux ! tu laisses un gosse de neuf ans en otage ; il s'écoule plus de treize ans sans que tu le fasses rechercher et c'est lui qui finit par te retrouver. Il passe dix ans enfermé dans des centres, il est considéré comme orphelin. Il te voit. Et tu voudrais qu'il renouât comme si de rien n'était, qu'il te félicitât peut-être ?* »

Ce sont sans doute des phrases comme celle-ci qui lui feront écrire aux demoiselles : « *Vous me dites, chère Claire, que je devrais déjà avoir mes deux petits gars depuis douze ans, au moins. Bien sûr. Mais le responsable, je le connais, hélas : ce fut Michel, mon fils, qui publiait chez le même éditeur, qui savait parfaitement qui était Aldo, qui était la mère perdue et qui se garda bien de le dire. C'est un bien triste et pauvre personnage avec lequel je n'ai, Dieu merci, rien en commun, si ce n'est le malheur de l'avoir fait naître...* »

Cette fois, l'enfant n'y tint plus et, bondissant du fauteuil, courut vers son double, entoura ses épaules de ses bras, posa sa joue contre sa nuque.

« Tu as tort de t'émouvoir, Xavier. À nous, elle a écrit la vérité, tu le sais bien. Elle nous remercie même d'avoir reçu son fils de nos mains.

— Mais pourquoi était-elle si... ? hoqueta l'enfant.

— Depuis des mois, elle nous appelait à l'aide, nous suppliait de monter là-haut, dans les Ardennes. Elle était meurtrie de notre inertie.

« De plus, elle n'avait pas osé avouer à Aldo que c'est moi qui lui avais passé son roman. Cela aurait terni la spontanéité de leurs retrouvailles.

— Je n'arrive pas à comprendre...

— Sais-tu ce que nous allons faire ? dis-je. Nous allons

nous préparer un petit casse-croûte. Les émotions, ça creuse.

— Tu ne m'en veux pas ? À l'époque, j'étais...

— Tu étais comme moi, bonhomme. Partagé. Viens, mangeons quelque chose. »

Je l'entraînai vers la cuisine où je réussis, en plaisantant, à sécher ses pleurs. Au bout d'un quart d'heure, nous riions tous les deux devant un pâté de campagne et des tartines beurrées.

XIII

Le lendemain, je rencontrai mon ami Mathieu. Romancier, il promenait dans ses livres des enfants qui auraient pu être les demi-frères de Xavier, gaiement désespérés, d'une tristesse espiègle et malicieuse, toujours entre rires et larmes. Avec lui, le moindre propos était saisi au bond. Sous sa tignasse bouclée, l'œil me perçait, me réchauffait, appuyait mon élan. Autant que moi, il avait, avec les années, fini par connaître Candida dont il suivait les métamorphoses. Mathieu lisait chacun de mes livres, souvent en une nuit, tout comme je lisais les siens, qui lui ressemblaient, elliptiques, élagués de tout détail anecdotique, légers à la main et lourds au cœur.

De sa génération, Mathieu avait le rythme trépidant, sans un temps de répit. De son enfance désordonnée, il conservait, outre l'ironie et l'autodérision, un besoin de méthode et d'organisation. Il courait mais sans jamais paraître essoufflé. Il n'oubliait rien, gardait tout dans sa mémoire parfaitement rangée, munie de tiroirs et de classeurs. Il n'en ouvrait qu'un à la fois, veillait à ne pas les mélanger ni les confondre. Il menait ainsi cent vies également exclusives. Secret jusqu'à la défiance, il donnait l'impression de tout livrer, mais ce tout s'arrêtait là où s'arrête l'angle du tiroir. Séduisant, charmeur, il plaisait aux femmes par sa malice et sa drôlerie, par ses airs d'adolescence et par sa fantaisie, qui dissimulaient une énergie de bûcheron.

En arrivant à son domicile, je lui demandai de passer dans la salle de bains pour me laver. Je revenais de la rue des Archives où l'odeur n'en finissait pas de stagner, moins forte certes, mais d'autant plus tenace.

Comme sa femme devait se rendre chez une amie malade, nous allâmes seuls au restaurant, à deux pas des jardins de l'Observatoire.

Avec Mathieu, je n'avais pas à m'encombrer d'explications. Je lui parlai vite, d'un ton fiévreux. Je résumai les deux semaines que je venais de vivre, évoquai Félix, Athos, lui décrivis la photo. Il connaissait l'enfant, comprenait ses angoisses, devinait ses peurs. Il lui parlait souvent, l'apaisait, s'efforçait de lui aplanir la route pour qu'il pût rêvasser à son aise. Il sentait naître la petite musique que son oreille captait avant tous les autres.

La crise de Xavier ne sembla pas l'étonner, ni non plus ses dénégations violentes.

« Il n'a peut-être pas tort, dit-il en fixant sur moi son regard chaleureux. C'était *aussi* une petite fille apeurée. Il n'y a que les imbéciles pour prétendre que les enfants sont innocents. Ce sont des monstres délicieux.

— Une petite fille qui n'a pas arrêté de trahir, de mentir, de se parjurer.

— Les enfants mentent comme ils respirent. Ce ne sont pas des mensonges mais des vérités autres. Mieux vaut un beau mensonge qu'une vérité laide.

« J'ai toujours éprouvé de la tendresse pour Ulysse.

— Mais quand le mensonge tue ?

— La vérité assassine plus encore. Les ayatollahs ne mentent pas, hélas.

— Tu n'imagines pas l'écœurement.

— Aucune mort n'est jolie, même celles qu'on cache à l'hôpital.

« Ma grand-mère est morte chez nous. Ce n'était pas non plus beau à voir.

— Ici, pourtant, ce chaos.

— Toute sa vie a été chaotique, non? On meurt comme on a vécu. Tout ce que tu décris lui ressemble.

— Quand Xavier a étalé ses photos sur le tapis... C'étaient vraiment des femmes différentes.

— Écrirais-tu sans cela? Au mieux, tu ferais du roman familial. C'est son énigme qui en fait un personnage.

— Cette chose informe échouée dans son fauteuil et cette jeune femme élégante, qui toisait les hommes du haut de sa beauté.

— Entre les deux, il y a ce qu'elle a fait à l'enfant, à tous ses enfants.

— Tu crois qu'elle y pensait?

— Je ne suis pas amateur de romans psychologiques, tu connais mes goûts. Elle l'a vécu, si elle ne l'a pas pensé. Elle s'est enveloppée de graisse comme on se cache sous l'édredon.

« Maintenant, dit-il, tu devrais rentrer et te mettre à écrire.

— Rémy me conseille le soleil et la plage.

— Tu ne le feras pas. »

Je le regardai, lui souris. Même quand il parlait sérieusement, il gardait son air malicieux. C'était son élégance à lui, ne rien montrer que son rire.

« Écrire quoi? dis-je.

— Mais finir ce que tu as commencé. Tu touches au bout. Tout se tient maintenant, tout est lié.

— Et après? dis-je distraitement.

234

— Après, tu inventeras un autre jouet. Un écrivain, c'est d'abord une obsession. »

Nous nous séparâmes devant le jardin. Il ne veillait jamais au-delà de minuit, à cause de son travail et à cause, surtout, de ses enfants. Il était pour eux le père qui lui avait manqué.

Bien plus tard, il me confiera que, rentrant chez lui, il avait été malade. Peut-être l'odeur l'avait-elle incommodé ? Ou, plus simplement, mon regard. Il avait expulsé les mots qu'il n'avait pas pu me dire et dont, mieux que d'autres, il connaissait l'inutilité.

« *Pris d'un violent vomissement de sang dans un bar des Champs-Élysées, il fut transporté d'urgence à l'Hôtel-Dieu, mis en service de réanimation, et opéré sans grand espoir dans la nuit...* »

J'avais lu la lettre de Candida d'une voix lisse. L'enfant, recroquevillé dans le fauteuil, gardait la tête baissée sur sa poitrine. Plus d'une minute s'écoula avant que, d'une petite voix, il demandât :

« C'était quand ?

— Décembre 1975, dis-je. Il avait été libéré en novembre.

— Il est mort tout de suite ?

— Non. Il a passé plus d'un mois à l'hôpital. Ensuite, Candida l'a pris chez elle, rue des Archives, où il a encore traîné deux mois. Il est mort au printemps 76, le 24 mars.

— Ça faisait juste trois ans qu'ils s'étaient retrouvés, dit-il d'un air distrait.

— Jour pour jour presque.

— C'était quoi, sa maladie ?

— Une cirrhose. Il buvait depuis sa jeunesse.

— Il avait mal au foie ?

— Il arrive que la maladie évolue en silence, sans aucun

signe. Il n'avait probablement rien senti jusqu'à cet... accident. Après, bien sûr... Elle dit que l'agonie fut longue, effroyable : ce sont ses mots.

« Candida était assistée par deux infirmières, qui se relayaient. Elle ne l'a pas quitté une seconde.

— Et Félix ?

— Parfait. Il le portait dans ses bras jusqu'aux toilettes, le lavait, le rasait.

— C'est un chic type.

— Il aimait Candida. Il voyait qu'elle souffrait.

— Elle a eu beaucoup de peine ?

— Ce fut terrible. »

Nous parlions tous deux d'une voix chuchotante, lui, le menton sur sa poitrine, moi, le visage tourné vers la fenêtre. Nous entendions Rémy aller et venir dans son atelier.

« Il est mort dans l'appartement ?

— Non, vers la fin, il a fallu le transporter à nouveau à l'Hôtel-Dieu. Il souffrait trop.

— Du foie ?

— L'ascite. Un œdème généralisé.

— Candida a prévenu les demoiselles ?

— Bien entendu.

— Elles sont venues ?

— Non, elles n'avaient plus la force de bouger. Elles avaient pris leurs distances. Elles ne pensaient qu'à mourir en paix. Pour elles, toutes ces histoires duraient depuis trop longtemps.

« De plus, dis-je, elles n'étaient pas non plus très rassurées sur la bonne santé mentale de Candida. Jeanne le lui avait écrit, à sa manière allusive. " *Je m'inquiète de vos santés.* " Elle avait souligné le pluriel, au cas où Candida ne comprendrait pas.

— Elle n'a sûrement rien compris ! dit l'enfant avec un rire grinçant.

— Il y a peu de chances, en effet. Elle sentait néanmoins une sorte de résistance polie, comme si les sœurs lui disaient : " Nous avons assez payé de nos personnes. À vous de jouer maintenant. "

« Et puis, il y a eu des détails assez sordides...

— Lesquels ?

— Tu tiens vraiment à les connaître ?

« Depuis la prison de Rouen, Aldo avait écrit plusieurs lettres à Candida lui demandant de convaincre les deux sœurs de mettre leur maison en viager, à son nom à elle.

— Elle a osé ? dit Xavier avec une moue de dégoût.

— Elle osait tout, tu sais bien. Claire lui a répondu très poliment qu'elles n'étaient pas encore mortes, que leurs dispositions étaient prises pour que la maison revienne à la dernière survivante, qu'ensuite... Bref, elles connaissaient trop leur Aldo pour songer à lui léguer leur maison.

— Je parie que Candida est revenue à la charge, dit l'enfant avec une sorte d'écœurement.

— Plusieurs fois, oui. Aldo la pressait d'accélérer le mouvement, disait que le temps filait et que les deux sœurs se faisaient de plus en plus vieilles. Mais Candida a fini par sentir que Claire et Jeanne ne céderaient pas.

— Tu te rappelles l'autre soir, devant les photos ? On voudrait trouver quelque chose qui... la sauverait. Plus on creuse et plus aussi...

« C'est comme la phrase sur toi. Cette rage à calomnier.

— Oh, dis-je. Ce n'est pas si simple. J'ai relu toutes les lettres qu'elles nous a écrites, depuis 1955. Elle n'a pas arrêté de nous appeler. D'une certaine manière, elle avait *vraiment* besoin de nous.

— Mais elle était... Comment voulais-tu que nous puissions... ?

— Je sais, bonhomme. Ce qu'elle nous demandait, nous ne pouvions pas le lui donner.

— Qu'est-ce qu'elle te demandait ?

— De refaire sa vie, de lui rendre l'illusion de sa jeunesse.

— Aldo n'avait pas tort, dit l'enfant avec mélancolie. Elle était aigrie.

— Elle ne comprenait pas ce qui lui était arrivé.

— Elle était bête, trancha Xavier avec un haussement d'épaules.

— Pour certaines choses. Pas pour toutes.

« Tu vois, je te dis tout. Je te parle d'égal à égal.

— Nous nous sommes toujours parlé franchement, non ?

— Bien sûr. Je te cachais néanmoins certains détails. Tu n'étais pas alors en état de regarder l'ensemble.

— Maintenant, ça ne me fait plus rien.

— Je te comprends. Nous avons épuisé la honte.

« En réalité, dis-je, elle nous aimait aussi. J'ai été étonné de constater, en relisant la correspondance qu'elle nous a adressée. Elle y disait toute la vérité ou presque, y compris son âge réel. Comme il arrive avec ceux qui mentent tout le temps, je ne l'avais même pas remarqué.

— Tu crois qu'elle a vraiment envisagé de partir s'installer à l'étranger avec Aldo ?

— Elle a toujours rêvé de recommencer sa vie. Elle aurait voulu tout effacer, reprendre à zéro. Elle nous le dit clairement, après la mort d'Aldo : " *Cela se serait mal terminé peut-être, mais cela ne s'est pas bien terminé non plus de la sorte.* "

— Elle pense à Félix ?

— Bien sûr. Il a été à deux doigts de la plaquer.

— À l'âge qu'elle avait... Et puis, c'était son fils...

— Elle ne voyait qu'un homme jeune. Elle se retrouvait en lui, même dans la démesure et la folie, dit-elle lucidement.

« À deux ou trois reprises dans sa vie, elle a commis des actes sur lesquels on ne peut ensuite plus revenir. Elle a essayé de les nier, de les oublier, de s'inventer des excuses. Le passé finissait toujours par la rattraper. Elle nous a écrit :

" *Tu as su oublier beaucoup de choses, très simplement, très généreusement, et je te sais gré de l'avoir fait quand il fallait le faire.* "

— Ce devait être après la visite que tu lui avais faite dans son bureau, un soir... Je me rappelle son air gêné, vaguement honteux...

— C'était asssez sordide, oui.

— C'est elle qui avait poussé Aldo, n'est-ce pas?

— Oui et non. Il ne comprenait pas pourquoi elle n'avait pas pu le reconnaître à sa naissance alors que moi, je portais son nom. Plutôt que de lui avouer qu'elle avait épousé mon père et que la situation n'était donc pas la même, elle avait préféré mentir en lui assurant qu'elle ne m'avait pas non plus reconnu...

— C'est dégueulasse, cracha l'enfant.

— C'est humain, rectifiai-je avec un sourire.

— Il t'a écrit, n'est-ce pas?

— Pas à moi, à mon éditeur. Une lettre ridicule, remplie de menaces.

— C'est pour ça que tu es allé la voir?

— Je lui ai apporté mon acte de naissance.

— Mais... c'est, balbutia Xavier en secouant la tête.

— Lamentable, oui.

— Qu'a-t-elle dit pour se défendre?

— Elle a senti qu'elle était allée trop loin. Elle a tout mis sur le compte d'Aldo.

— Tu avais l'air si triste ce soir-là, si fatigué.

— Sur le moment, il est possible que j'aie attaché trop d'importance à ce qui n'était qu'un incident ridicule...

— Pourquoi est-ce que tu te défends toujours? Moi, je n'ai pas honte de pleurer.

— Tu as assez pleuré pour nous deux. Et puis, souviens-toi, elle avait un air pitoyable, engluée dans ses mensonges. Elle ne savait plus elle-même où elle en était.

« Quand elle l'a retrouvé, elle n'a pas osé avouer à Aldo

239

qu'elle avait été mariée avec ton père et qu'ils avaient eu trois enfants ensemble.

— Elle parlait souvent de sa fille, dit Xavier.

— Il semblerait qu'elle l'ait passionnément aimée et que sa mort ait été un coup très dur pour elle. En tout cas, elle ne l'a jamais oubliée.

— Mais qu'est-ce qu'elle a bien pu raconter à Aldo? demanda l'enfant d'une voix lasse.

— Elle a arrangé la vérité, selon son habitude. Elle aurait connu Nino depuis l'âge de sept ans. C'était donc l'unique amour de sa vie.

— C'est vrai?

— Pas tout à fait, non, dis-je avec un sourire.

— Et pour mon père?

— Une simple passade. Une brève aventure sans lendemain.

— Mais ils ont vécu huit ans ensemble!

« Que se serait-il passé, murmura Xavier, si tu avais rencontré Aldo et qu'il avait appris...

— C'est pourquoi elle n'a jamais insisté. Elle a toujours mené des existences cloisonnées. Elle a même refusé de donner à Aldo l'adresse de Carlos, malgré son insistance.

« Vers la fin, elle se sentait perdue. Elle devinait que je connaissais tout, d'où ses remerciements. Elle a été soulagée en comprenant que je garderais le silence, une fois de plus.

— Elle était consciente?

— C'était son malheur. À propos de l'abandon d'Andrès et d'Aldo, elle avoue qu'il s'agit de l'une des actions les plus honteuses de sa vie.

— Elle avait des remords?

— Elle tentait de les étouffer en dénigrant les autres, en rejetant sur eux la responsabilité. Elle n'y croyait pas vraiment. Elle s'enfonçait chaque jour un peu plus. »

Je commençai de ranger les correspondances.

« Ç'a dû être dur pour les demoiselles, cette mort...

— Bien sûr. Mais elles étaient heureuses et soulagées parce que Candida avait appelé un prêtre et qu'il est mort après s'être confessé et avoir reçu la communion. *" ... nous sommes si <u>consolées</u> en pensant qu'il a vu un prêtre <u>catholique</u>... Quelle merveilleuse surprise ! "*

— C'est idiot, murmura Xavier.

— C'étaient de très vieilles femmes, la religion était toute leur vie.

— Candida, pourquoi a-t-elle fait ça ?

— Je ne sais pas. Par conformisme.

— Il serait mort de toute façon, dit-il comme s'il reprenait le fil d'une idée perdue.

— Elle n'est pour rien dans sa mort, simplement...

— Simplement, quoi ? reprit-il en levant les yeux vers moi.

— Eh bien, dis-je. Il n'avait pas non plus beaucoup de raisons de vivre.

— Il aurait mieux valu qu'il ne la retrouve jamais. Il aurait gardé l'image qu'il s'en faisait.

— Peut-être. »

Sous l'effort, son front se plissait.

« Elle nous a écrit ?

— Seulement après. Je n'ai rien su de sa maladie.

« Elle ne dormait plus, faisait des cauchemars. Surtout, sa vie lui paraissait vide. Depuis trois ans, elle avait l'impression que son existence avait retrouvé un sens. Il y avait les téléphones, les lettres, les voyages. Soudain, plus rien.

« Elle nous a écrit cette phrase : *" Rien ne pourra éviter maintenant que je meure désespérée de tout et, surtout, de moi-même. "*

— Je pense, dit l'enfant. J'ai le sentiment qu'Aldo est mort à notre place, qu'il a payé pour nous tous...

— Je dirais plutôt qu'il a été notre négatif. Celui que nous aurions pu être. »

Dans son atelier, Rémy venait de mettre un disque de Barbara sur la platine laser. Nous entendions vaguement : « *Dis, quand reviendras-tu ?* »

« Tu te souviens ? dit Xavier. Nous allions souvent la voir à cette époque. Nous dînions rue des Archives. Au bout de cinq ans, vers 1986, tu as de nouveau pris tes distances.

— Je ne supportais pas de l'entendre dénigrer Aldo.

— Moi non plus, dit Xavier. Elle ne trouvait rien à se reprocher.

— Elle a eu une phrase assez drôle, dans une de ses lettres : " *Sans refuser du tout ma culpabilité, sachant qu'elle fut surtout celle des autres...* "

— Elle n'a jamais eu d'ironie, dit l'enfant avec un sourire.

— Elle se prenait trop au sérieux pour en avoir.

« Tu sais une chose, bonhomme : nous devrions boucler nos valises. Nous avons besoin de respirer un peu, tu ne trouves pas ? »

Il se leva lentement, me regarda glisser les cartons dans un coin, débarrasser et ranger la table.

« Tu as été très courageux, dit-il.

— Ce n'est pas du courage, c'est de l'entêtement. Tu m'as refilé ta vitalité de chat. »

J'effleurai sa joue de ma main, éteignis la lampe.

XIV

J'avais rencontré l'assistante sociale ; il ne me restait plus qu'à prendre congé de Félix. Je me rendis seul rue des Archives.

Je n'en voulais pas à Xavier de se dérober. Je savais qu'il n'agissait ainsi ni par lâcheté ni par indifférence : l'idée de laisser Félix seul, livré à lui-même, le rendait tout simplement malade. L'enfant resterait à jamais le chien qu'on jette par la portière et court derrière la voiture, langue pendante. Les séparations le déchirent parce que toutes le renvoient à l'unique séparation.

Je trouvai Félix rasé de frais, vêtu de son seul costume, cravaté. Il essayait courageusement d'organiser sa solitude, faisait ses courses, passait l'aspirateur, cuisinait. La vie reprenait, sauf qu'il n'y avait plus de vie. Car Félix avait beau s'accrocher, il ne cessait de glisser dans le silence et l'inutilité. Tout ce qui avait donné un relief à son existence avait disparu avec Vicky. Il s'inquiétait pour Athos, répétait dix fois : « *Que va-t-il devenir quand je ne serai plus là ?* » C'était moins une question qu'une tentative pour se persuader qu'il était encore indispensable à quelqu'un.

Débarrassé des livres et des papiers de Candida, l'appartement me semblait anodin. Dans son désordre et dans sa crasse, il exprimait la personnalité de celle qui l'avait saccagé, comme si rien ne devait subsister intact après elle. À présent, tout redevenait banal. Je regardais autour de moi sans presque reconnaître les lieux.

Je m'étonnais de ne toujours pas ressentir une vraie tristesse. Non plus du soulagement. Peut-être cette mort arrivait-elle trop tard, quand je l'avais mille fois vécue par l'imagination. D'abord étonné, révulsé ensuite, j'avais accompli les gestes que mon double attendait que je fisse. Ma tâche finie, je me retrouvais désœuvré. Le deuil, s'il devait se produire, viendrait plus tard. Deuil de qui cependant? Pleurerai-je Aldo ou Xavier? Carlos ou Andrès? Félix ou Nino? Claire, Jeanne ou Andrée? Candida ou moi-même? Eux tous, nous tous ensemble, réunis dans un suprême sourire.

Si, les premiers temps, je m'étais demandé ce que Félix avait compris à son histoire, je ne me posais plus la question. Il en savait ce que nous en connaissions chacun, à la fois tout et presque rien. Des éclats et des reflets. Il s'était contenté d'aimer jusqu'à la limite de ses forces, et nul n'eût su dire s'il s'était ou non trompé.

Maintenant que l'agitation de sa douleur était retombée, il s'exprimait d'une voix cassée, presque douce. Il continuait de feuilleter ses albums, de toucher les objets qu'elle avait tenus dans ses mains, de regarder la place vide, là où elle avait livré son dernier combat. Dans son œil, il y avait cette expression de lassitude qu'on discerne chez ceux des soldats qui reviennent du front. Ils savent que jamais ils ne réussiront à transmettre ce qu'ils viennent de vivre. Ils renoncent à la parole.

Si je l'interrogeais sur ses projets, il énumérait d'un ton lisse les démarches qu'il entreprendrait, les travaux qu'il se proposait de faire. Il semblait plus désireux de me rassurer que de me convaincre. Tout se passait comme s'il était établi qu'avec la disparition de Candida, son existence ne pouvait plus que se traîner. Il évoquait sa mort sans pleurnicheries ni apitoiements.

« Je ferai comme elle, me dit-il. Un jour, elle m'a déclaré, je m'en souviens : " *Nue je suis née et nue je veux retourner à la terre.* " »

Je hochai la tête, regardai une dernière fois autour de moi, fixai la place de l'énorme fauteuil. Je caressai Athos avec une pensée pour l'enfant.

Par la fenêtre, je contemplai les Archives. Combien de fois le regard de Candida aura-t-il scruté ces pierres ? Dans une longue vie de tumulte, il y avait eu cet interminable silence. Toujours Candida finissait par revenir ici, comme si ce lacis de ruelles, d'impasses et de venelles, constituait un refuge et une protection. Contre quels périls, quelles menaces ou quelles angoisses ? La remarque de l'enfant sur sa peur de la lumière me revint à l'esprit. Que cachait-elle dans cette pénombre ? Elle-même peut-être et tous ces fantômes qui avaient rôdé autour de son agonie. À moins qu'il ne s'agisse de fantômes plus anciens...

J'embrassai Félix. Comme au jour de mon arrivée, il se tenait debout dans le vestibule et me fixait de son œil de verre.

Nous avions bouclé nos bagages et pris un dernier repas avec Rémy, manifestement soulagé de nous voir quitter la rue des Archives. À une remarque qui lui avait échappé, je compris qu'il s'y était rendu pour examiner la façade de l'immeuble. Il avait également connu la rue Portefoin, son entrée, un boyau sombre, son escalier, l'entresol et la porte d'entrée, au fond d'un recoin sans lumière.

Les désordres de Candida l'auraient plutôt amusé dans la mesure où il avait un faible pour les monstres. S'il pouvait sourire de la démesure et des excès, la blessure faite à l'enfant mettait pourtant sur son visage un voile de tristesse, presque de gêne. Il évitait pareillement d'évoquer Andrès et Aldo. À ses yeux, il existait une limite au grotesque et Candida l'avait trop souvent dépassée.

Mon inquiétude pour Félix le laissait, en revanche, de marbre.

« De quoi donc le plains-tu ? lâchait-il avec agacement. Il a vécu un roman fantastique, qui a transfiguré sa vie. Aurais-tu préféré qu'ils forment tous les deux un de ces couples sinistres, lui lisant le journal cependant que, de l'autre côté de la table, elle observe les passants à travers les vitres du restaurant ? »

Il proposa de nous accompagner à la gare. Je déclinai son offre. Nous nous étreignîmes devant le taxi et il passa sa main sur la chevelure de l'enfant, sans un mot, avec un vague sourire de connivence.

Je m'attendais que Xavier appuyât son front contre la vitre et s'éloignât dans ses rêves. Il avait pris sur la tablette une revue qu'il lisait avec un air de concentration bizarre.

« Ça t'intéresse ? dis-je au bout d'un moment.

— C'est rigolo. Il y a plein d'articles sur le T.G.V. et les nouveaux systèmes de réservation, copiés des Américains.

— Les chemins de fer t'amusent ?

— Non, les experts. J'aime bien les gens qui se prennent au sérieux. »

Je ne pus m'empêcher de sourire.

Le train venait d'atteindre sa voie rapide et filait à travers la campagne dans un balancement mou. Je pensai au rythme binaire des voyages de ma jeunesse.

« Je voudrais te dire quelque chose, Xavier. »

Il reposa sa revue, se tourna vers moi, me fixa de son air le plus sérieux.

« Tu n'es plus un enfant. Ne penses-tu pas que nous devrions désormais nous parler d'égal à égal ? »

Il parut réfléchir à ma question.

« Mais alors, dit-il, je ne pourrai plus habiter mes rêves ?

— Bien sûr que oui ! Tu me les raconteras, voilà tout.

— Un rêve qu'on raconte n'est plus un rêve, dit-il d'un ton sentencieux.

— Eh bien, tu ne me raconteras que ceux que tu auras envie de me raconter.

— Parce que Candida est morte, tu n'as plus besoin de moi, c'est ça ?

— Au contraire, bonhomme. J'ai encore plus besoin de toi qu'avant. Simplement, tu es devenu grand. Nous pourrions explorer ensemble d'autres chimères.

— Tu veux dire que nous rêverions à deux ?

— C'est un peu ça, oui. Deux voix qui se séparent, se rejoignent, courent l'une après l'autre, s'inversent. Deux voix qui n'en font qu'une.

— Tu parles d'une fugue ?

— Une fugue, oui. Le mot est joli, chargé d'ironie. Un mot d'adolescence, rempli d'inquiétude et de révolte.

— Tu voudrais, dit-il, que les voix ne se distinguent plus ? Il faudrait trouver le motif d'abord.

— Il court tout au long du récit.

— Laisse-moi deviner ! », s'écria-t-il, l'œil étincelant.

Il réfléchit intensément. Soudain, il se retourna vers moi, l'air triomphant.

« Je crois que j'ai trouvé ! dit-il d'une voix fiévreuse.

— Chut ! Ne le dis pas.

— À l'oreille, alors ? »

Je me penchai. Il chuchota dans le creux de mon oreille. J'opinai de la tête.

« Tu es vraiment très fort !

— C'était pas bien difficile. Tu glisses toujours une indication.

— Alors, dis-je, que penses-tu de ma proposition ?

— Je veux bien, finit-il par lâcher. Je serai désormais un grand et nous bavarderons de tout. »

Je l'embrassai sur le front avec, toutefois, un serrement de cœur. Est-ce vraiment un privilège de devenir adulte ?

Dans moins de deux heures, nous arriverons à Montélimar. Nous retrouverons la grande maison, la chienne, les chats, le jardin en pente, les oliviers et les cyprès. Jadis, une commotion de bonheur me secouait dès que nous dépassions Valence. Je buvais le paysage des yeux. Aujourd'hui, j'appréhende de franchir le portail, de fouler la terrasse, de poser mon regard sur le tilleul.

Nous n'avons plus besoin de protection. Nous déposons les armes. Nous signons une paix triste et résignée, sans vainqueur, rien que des victimes et des survivants épuisés.

Avec Candida, quelque chose est mort en moi, en nous — une part très secrète, faite de terreur et de vénération.

Nous avons perdu la sombre et fantastique magie des contes.

Composition Bussière
et impression B.C.A.
à Saint-Amand (Cher), le 21 mars 1994.
Dépôt légal : mars 1994.
Numéro d'imprimeur : 590-94/126.
ISBN 2-07-073858-2./Imprimé en France.

68072